KB144412

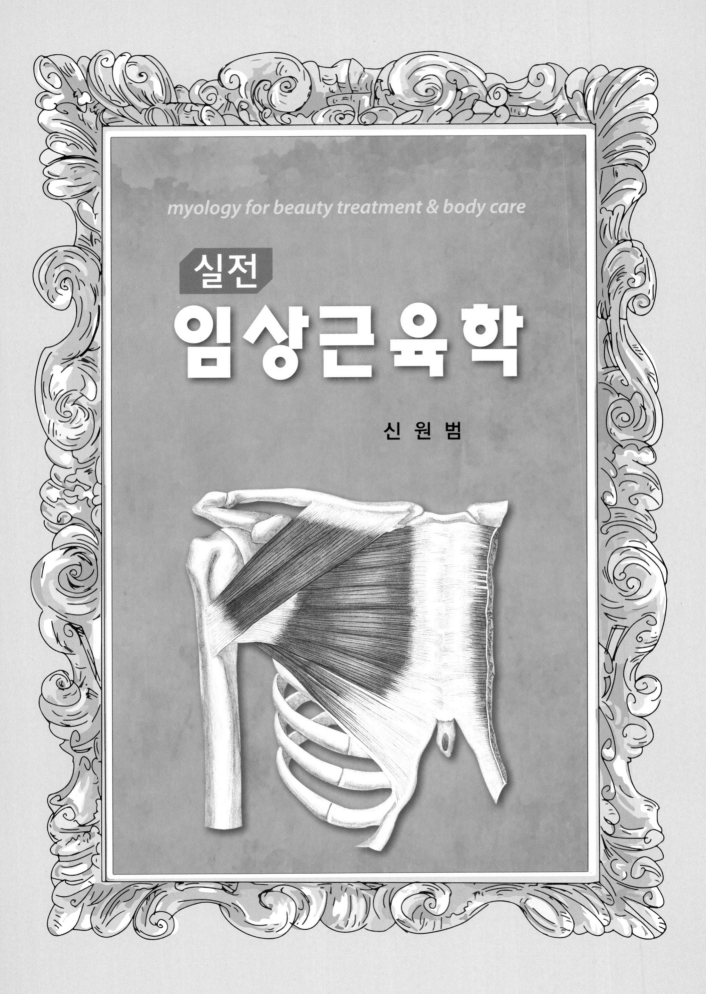

myology for beauty treatment & body care

실전
임상근육학

신 원 범

저|자|소|개

신 원 범

신구대학교 물리치료과 졸업
열린사이버대학교 뷰티디자인학과 졸업
건국대학교 대학원 향장학과 졸업
건국대학교 대학원 박사과정(향장미생물학 전공)
경기대학교 대체의학대학원 외래강사
현 단국대학원 문화예술대학원 외래교수
　　열린사이버대학교 뷰티건강디자인학과 외래교수
　　100억샵 대표 리더
　　대한민국 1호 미용응용실전해부학 교수
　　대한민국 1호 근육경락통합 수기치료교수

실전 임상근육학

초판발행　2017년 1월 20일
초판2쇄　2019년 10월 18일
발 행 인　민유정
발 행 처　대경북스
　ISBN　978-89-5676-592-1

이 책은 저작권법에 따라 보호받는 저작물이므로 무단전재와 무단복제를 금지하며, 이 책 내용의 전부 또는 일부를 이용하려면 반드시 저작권자와 대경북스의 서면 동의를 받아야 합니다.

등록번호 제 1-1003호
서울시 강동구 천중로42길 45(길동 379-15) 2F
전화: (02)485-1988, 485-2586~87 · 팩스: (02)485-1488
e-mail: dkbooks@chol.com · http://www.dkbooks.co.kr

머리말

　본서는 현장에서 고객의 몸을 치유하거나 관리하는 모든 분들께 실질적 도움을 드리고자 임상 28년의 노하우를 정리하여 집필한 책이다.

　필자는 임상 초보자들이 볼 수 있는 책이 과연 무엇일까를 고민하였고, 필자 또한 초보시절 가장 쉽게 접근할 수 있는 근육학 책을 찾아 서점을 헤매곤 하였다.

　그러면서 국내외의 수많은 근육학 책이 과연 임상 전문가들에게 맞는가를 오래 고민하였고, 그러한 시대적 요구에 따라 임상 전문가들이 실전에 적용할 수 있는 책이 필요하다고 여기어 직접 근육학 책을 쓰게 되었다.

　본서는 임상 실전에 맞춘 근육학 책으로서 실전에 임하는 초보자부터 고수들까지 펼쳐보고 느낄 수 있도록 그간의 노하우와 교단에서 학생의 가르치면서 느낀 점을 토대로 집필된 근육학의 교과서이다.

　책의 내용은 대학과 대학원에서 많은 학생들을 가르치고 그들이 임상에서 실질적으로 고객을 응대하고 관리하면서 마주치는 문제점을 파악하고, 몸에 그림 그리는 근육학이 아닌 실질적인 내용의 근육학이 되도록 하는 데 목표점을 두었다.

　물리치료를 전공하고 오랜 시간 임상에서 많은 분들을 치료하면서 느낀 치료적 요점을 고민하며, 미용학을 다시 전공하면서 아주 쉽고 효율적인 근육학 교과서가 필요함을 깨달고 오랜 시간을 고민하여 나오게 된 책이다.

　인체는 유기적 결합체이다. 하나의 근육으로 평가할 수도 없고 하나의 근육만으로 원하는 관리를 절대로 할 수 없으며 근육의 흐름과 관련된 신경의 흐름도 눈여겨봐야 하고 장부와의 관련성도 염두에 두어야한다.

　한편 근육은 나이가 들면 인체와 함께 노화가 진행되고 같은 근육도 직업군과 유전적 요소에 따라 그 반응과 결과치가 현격히 차이가 난다. 그러므로 이제는 교과서적인 근육적 관리보다는 임상적 경험의 근육학이 필요한 시점이라 할 수 있겠다.

본서는 근육의 시작점과 부착점, 신경지배, 기능을 비롯해서 현장에서 고객을 관리하며 느끼고 경험한 내용들이 다수 포함되어 있다. 또한 근육을 이해하고 고객을 관리하며 항상 옆에 두고 찾아볼 수 있게 하는 레퍼런스로서, 물리치료사, 운동처방사 및 운동 트레이너 그리고 피부미용인들과 대체의학 종사자들이 두루두루 보아야 할 책이라고 생각된다. 이제 전반적인 근육의 흐름부터 보는 독자들의 지혜가 필요할 듯하다.

전국을 다니면서 무료로 근육학을 가르치고 힘들고 어려운 피부미용인들을 모아 '100억샵'을 만들어 반복적으로 임상에 근거한 현실적인 근육학을 가르치며 본 서의 토대를 만들어왔다. 아무쪼록 새벽부터 근육학을 공부하러 모였던 전국의 피부관리사 여러분들과 부산이든 광주든 대구든 강의가 열리는 곳마다 인산인해를 이루고 갈망했던 여러분에게 작으나마 근육학의 지침서가 되어주기를 간절히 바래본다.

향후 시간을 가지고 좀 더 좋은 내용을 추가하고, 수정할 부분은 계속 보완해 나갈 것이고 인체의 해부학적 관점도 추가할 생각이다.

끝으로 물리치료사가 되었다가 임상가로 돌아서서 다시 피부미용학과 교수가 될 수 있도록 도와주신 여러분께 먼저 감사드리고, 언제나 저의 발걸음을 쫓아오는 100억샵 멤버들에게 깊은 감사를 전한다. 또한 오늘의 100억샵이 있기까지 많은 도움을 주시는 현업의 교수님들과 홍지유 교수님께 머리 숙여 감사의 인사를 드린다. 더불어 책으로 고민할 때 한 걸음에 달려와 집필할 수 있게 도와주신 대경북스의 관계자분께도 깊은 감사의 인사를 드린다.

모쪼록 본 저서가 임상가인 여러분의 길잡이가 되길 간절히 기원한다.

2017년 1월

저 자 씀

차 례

Chapter 0. 근육학 개관

Chapter 1. 머리와 얼굴의 근육

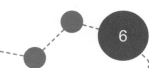

Chapter 2. 씹기 근육

Chapter 3. 목의 근육

Chapter 4. 뒤통수 아래쪽의 근육

Chapter 5. 등 부위의 근육

Chapter 6. 가슴우리의 근육

Chapter 7. 배부위의 근육

Chapter 8. 척주와 몸통을 연결시키는 근육

Chapter 9. 팔을 가슴벽에 연결시키는 근육

Chapter 10. 어깨의 근육

Chapter 11. 위팔의 근육

Chapter 12. 아래팔 손바닥쪽의 근육

Chapter 13. 손의 근육

Chapter 14. 엉덩부위의 근육

Chapter 15. 넙다리의 근육

Chapter 16. 볼기의 근육

Chapter 17. 넙다리 뒤쪽의 근육

Chapter 18. 종아리 앞쪽의 근육

Chapter 19. 종아리 가쪽의 근육

Chapter 20. 발의 근육

Chapter 0
근육학 개관

01. 근육과 인체의 움직임

Muscle & human motion

근육은 근육힘살, 힘줄, 널힘줄, 그리고 근막으로 구성되어 있고, 인체 모든 움직임의 기초가 된다. 인체의 움직임에는 ① 걷는 것과 같은 팔다리의 움직임, ② 몸의 각 부위로 혈액을 보내는 심장박동, ③ 다른 방향을 보는 것과 같은 안구운동, ④ 음식물이 입에서 항문까지 이동할 수 있게 해주는 위창자관의 수축, ⑤ 여러 가지 표정을 만들어내는 얼굴근육의 움직임, ⑥ 공기가 허파 속을 드나들 수 있게 하는 호흡운동 등이 있다.

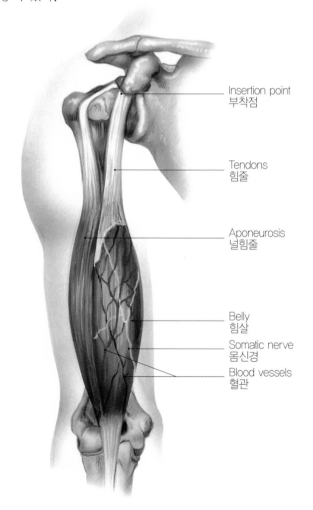

Insertion point
부착점

Tendons
힘줄

Aponeurosis
널힘줄

Belly
힘살

Somatic nerve
몸신경

Blood vessels
혈관

인체에 있는 근육은 다음과 같은 특징에 기초하여 종류를 나눈다.

● 자신의 의지에 따라서 통제되는가?(맘대로근 vs 제대로근)

● 현미경으로 보면 줄무늬가 있는가?(가로무늬근육 vs 민무늬근육)

● 몸의 벽과 팔·다리에 있는가 아니면 내장에 있는가?(몸근육 vs 내장근육)

위의 3가지 특징에 따라 인체의 근육을 분류하면 뼈대가로무늬근육, 심장가로무늬근육, 민무늬근육으로 대별된다.

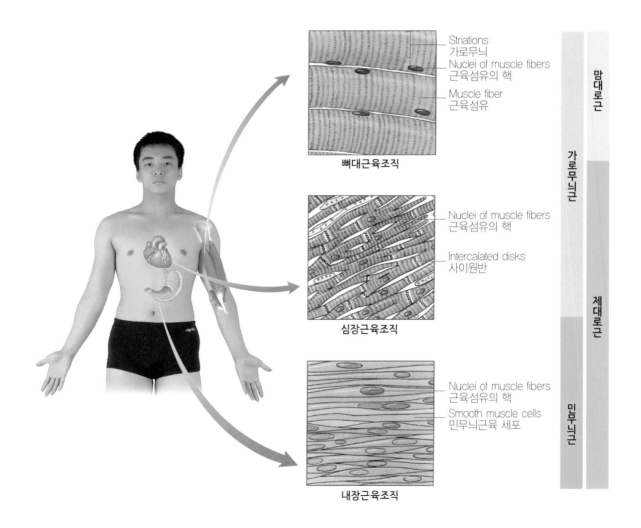

Striations
가로무늬
Nuclei of muscle fibers
근육섬유의 핵
Muscle fiber
근육섬유

뼈대근육조직

Nuclei of muscle fibers
근육섬유의 핵

Intercalated disks
사이원반

심장근육조직

Nuclei of muscle fibers
근육섬유의 핵
Smooth muscle cells
민무늬근육 세포

내장근육조직

맘대로근

가로무늬근

제대로근

민무늬근

02. 뼈대근육
Skeletal muscle

뼈대근육(골격근)은 직접적 또는 간접적으로 뼈에 부착되어 있고, 수축과 이완을 반복하면서 다음 5가지 기능을 수행한다.

- 뼈대근육이 수축함으로써 국소적인 움직임 또는 전체적인 움직임이 일어난다(운동).
- 뼈대근육이 수축함으로써 관절을 안정적으로 움직일 수 있도록 지탱하며, 자세를 유지하도록 돕는다(자세유지).
- 배벽과 골반바닥에 있는 뼈대근육층은 내장기관의 무게를 지지하고, 상해로부터 내부조직을 보호한다(지지 및 보호).
- 식도와 항문, 방광과 요도의 출구에 있는 뼈대근육은 삼킴, 배변, 배뇨를 수의적으로 조절한다(물질이동의 조절).
- 근육조직이 수축하면서 생산되는 열은 정상적인 체온유지에 이용된다(열생산).

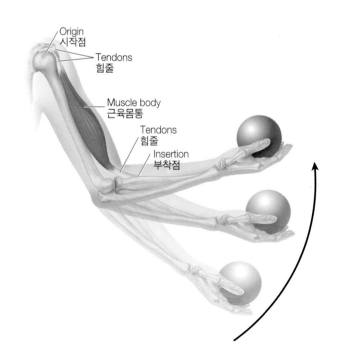

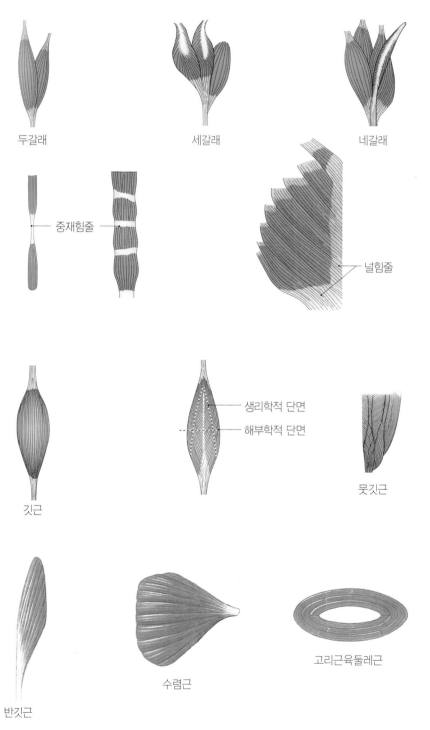

두갈래　　세갈래　　네갈래

중재힘줄

널힘줄

생리학적 단면
해부학적 단면

깃근　　　　　　　　　　못깃근

반깃근　　수렴근　　고리근육둘레근

뼈대근육의 형태적 분류

03. 뼈대근육의 미세구조

Microstructure of skeletal muscle

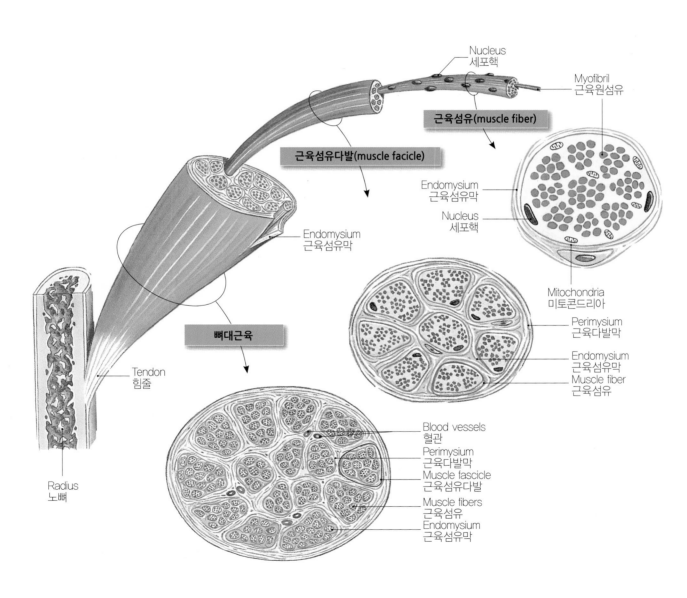

Nucleus
세포핵

Myofibril
근육원섬유

근육섬유(muscle fiber)

근육섬유다발(muscle facicle)

Endomysium
근육섬유막

Nucleus
세포핵

뼈대근육

Mitochondria
미토콘드리아

Perimysium
근육다발막

Endomysium
근육섬유막

Muscle fiber
근육섬유

Endomysium
근육섬유막

Tendon
힘줄

Blood vessels
혈관

Perimysium
근육다발막

Muscle fascicle
근육섬유다발

Muscle fibers
근육섬유

Endomysium
근육섬유막

Radius
노뼈

04. 뼈대근육의 역할
Role of skeletal muscle

하나의 운동을 수행하려면 여러 근육이 수축해야 하는데, 이 때 그 역할에 따라 다음과 같이 분류한다.

- **주작용근**/주동근/prime mover, agonist……특정운동을 수행할 때 주된 작용을 하는 근육이다. 주작용근이 1개 이상인 운동도 있다.
- **고정근**/fixator……운동이 팔다리의 먼쪽 부위에서 일어날 때 몸쪽 부위를 고정시키는 근육이다.
- **협동근**/협력근/synergist……특정운동을 수행할 때 주된 작용을 하는 근육을 도와서 운동을 보조하는 근육이다. 1개의 주작용근에 대해서 여러 개의 협동근이 있을 수 있다.
- **대항근**/길항근/antagonist……주작용근의 운동에 반대로 작용하는 근육을 일차대항근(primary antagonist)이라 하고, 협력근의 운동에 반대로 작용하는 근육을 이차대항근(secondary antagonist)라고 한다. 대항근이 있기 때문에 운동이 부드럽게 이루어진다.

05. 얕은층의 뼈대근육
Superficial Skeletal Muscles

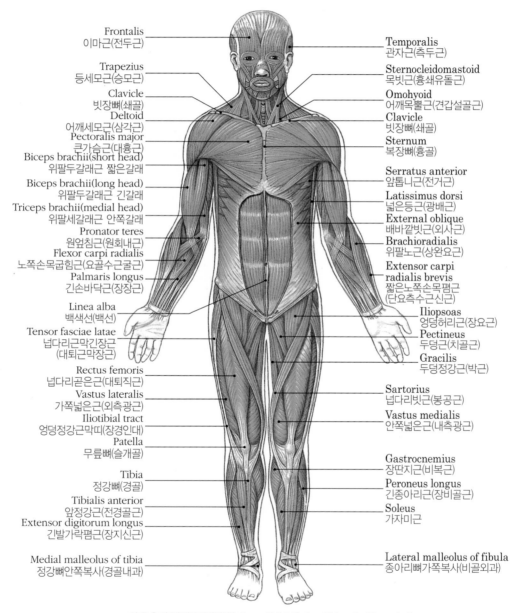

Frontalis
이마근(전두근)

Temporalis
관자근(측두근)

Trapezius
등세모근(승모근)

Sternocleidomastoid
목빗근(흉쇄유돌근)

Clavicle
빗장뼈(쇄골)

Omohyoid
어깨목뿔근(견갑설골근)

Deltoid
어깨세모근(삼각근)

Clavicle
빗장뼈(쇄골)

Pectoralis major
큰가슴근(대흉근)

Sternum
복장뼈(흉골)

Biceps brachii(short head)
위팔두갈래근 짧은갈래

Serratus anterior
앞톱니근(전거근)

Biceps brachii(long head)
위팔두갈래근 긴갈래

Latissimus dorsi
넓은등근(광배근)

Triceps brachii(medial head)
위팔세갈래근 안쪽갈래

External oblique
배바깥빗근(외사근)

Pronator teres
원엎침근(원회내근)

Brachioradialis
위팔노근(상완요근)

Flexor carpi radialis
노쪽손목굽힘근(요골수근굴근)

Extensor carpi
radialis brevis
짧은노쪽손목폄근
(단요측수근신근)

Palmaris longus
긴손바닥근(장장근)

Linea alba
백색선(백선)

Iliopsoas
엉덩허리근(장요근)

Pectineus
두덩근(치골근)

Tensor fasciae latae
넙다리근막긴장근
(대퇴근막장근)

Gracilis
두덩정강근(박근)

Rectus femoris
넙다리곧은근(대퇴직근)

Sartorius
넙다리빗근(봉공근)

Vastus lateralis
가쪽넓은근(외측광근)

Vastus medialis
안쪽넓은근(내측광근)

Iliotibial tract
엉덩정강근막띠(장경인대)

Patella
무릎뼈(슬개골)

Gastrocnemius
장딴지근(비복근)

Tibia
정강뼈(경골)

Peroneus longus
긴종아리근(장비골근)

Tibialis anterior
앞정강근(전경골근)

Soleus
가자미근

Extensor digitorum longus
긴발가락폄근(장지신근)

Medial malleolus of tibia
정강뼈안쪽복사(경골내과)

Lateral malleolus of fibula
종아리뼈가쪽복사(비골외과)

얕은층의 뼈대근육(앞면) Superficial Skeletal Muscles(Anterior)

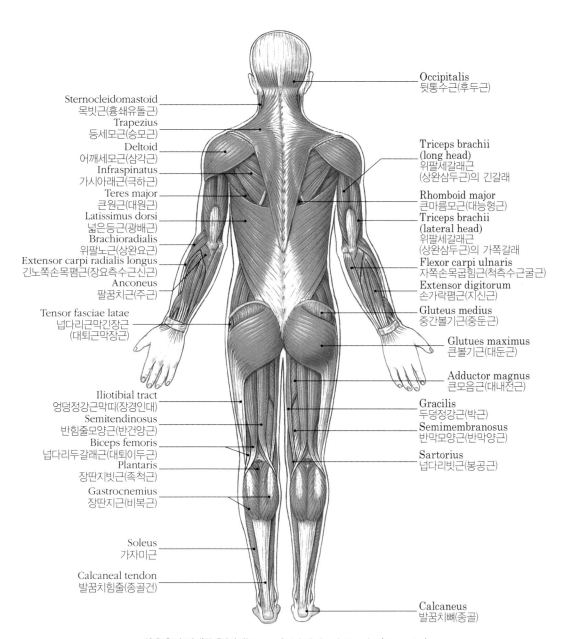

Occipitalis
뒷통수근(후두근)

Sternocleidomastoid
목빗근(흉쇄유돌근)
Trapezius
등세모근(승모근)
Deltoid
어깨세모근(삼각근)
Infraspinatus
가시아래근(극하근)
Teres major
큰원근(대원근)
Latissimus dorsi
넓은등근(광배근)
Brachioradialis
위팔노근(상완요근)
Extensor carpi radialis longus
긴노쪽손목폄근(장요측수근신근)
Anconeus
팔꿈치근(주근)
Tensor fasciae latae
넙다리근막긴장근
(대퇴근막장근)

Triceps brachii
(long head)
위팔세갈래근
(상완삼두근)의 긴갈래
Rhomboid major
큰마름모근(대능형근)
Triceps brachii
(lateral head)
위팔세갈래근
(상완삼두근)의 가쪽갈래
Flexor carpi ulnaris
자쪽손목굽힘근(척측수근굴근)
Extensor digitorum
손가락폄근(지신근)
Gluteus medius
중간볼기근(중둔근)
Glutues maximus
큰볼기근(대둔근)
Adductor magnus
큰모음근(대내전근)

Iliotibial tract
엉덩정강근막띠(장경인대)
Semitendinosus
반힘줄모양근(반건양근)
Biceps femoris
넙다리두갈래근(대퇴이두근)
Plantaris
장딴지빗근(족척근)
Gastrocnemius
장딴지근(비복근)

Gracilis
두덩정강근(박근)
Semimembranosus
반막모양근(반막양근)
Sartorius
넙다리빗근(봉공근)

Soleus
가자미근

Calcaneal tendon
발꿈치힘줄(종골건)

Calcaneus
발꿈치뼈(종골)

얕은층의 뼈대근육(뒷면) Superficial Skeletal Muscles(Posterior)

06. 근막
Fascia

　근막(fascia)은 근육의 겉면을 싸고 있는 막이다. 근막은 피부와 근육 사이에 위치하며 온몸에 걸쳐 분포하나 각 부위에 따라서 강도나 두께의 차이가 있다. 근막은 결체조직의 일종으로, 근육과 같은 체내의 구조물을 보호하고 지지하는 역할을 한다.

　근막은 근육을 묶어 보호하는 동시에 근육이 움직이는 방향과 각도를 결정한다.

　근막의 기능이 떨어지면 근육의 힘이 분산되어 제대로 힘을 주지 못하고 세밀한 동작을 할 수 없게 된다. 또한 근막이 굳어버리면 근육의 움직임을 방해하여 근육이 제대로 기능하지 못할 뿐만 아니라 근육의 움직임과 관절의 움직임까지 제한될 수 있다.

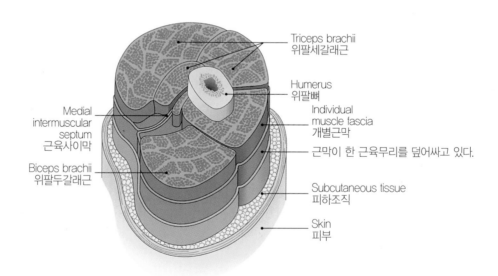

Triceps brachii
위팔세갈래근

Humerus
위팔뼈

Individual
muscle fascia
개별근막

근막이 한 근육무리를 덮어싸고 있다.

Subcutaneous tissue
피하조직

Skin
피부

Medial
intermuscular
septum
근육사이막

Biceps brachii
위팔두갈래근

Chapter 1
머리와 얼굴의 근육

01. 뒤통수이마근(후두전두근)
Occipitofrontalis m.

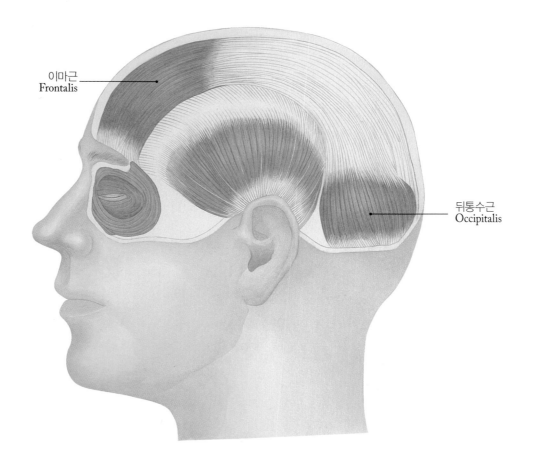

이마근
Frontalis

뒤통수근
Occipitalis

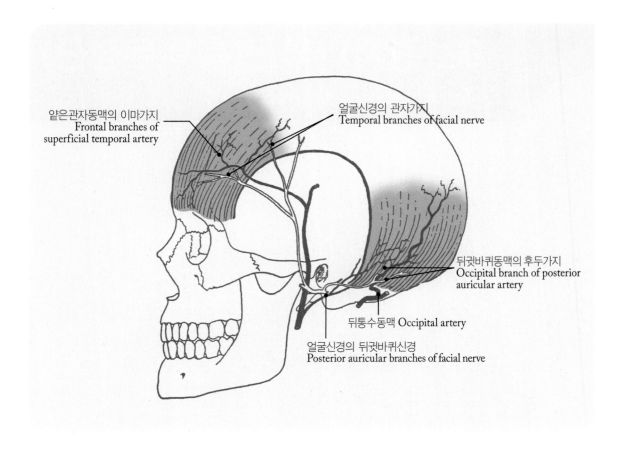

 라벨:
- 얕은관자동맥의 이마가지 Frontal branches of superficial temporal artery
- 얼굴신경의 관자가지 Temporal branches of facial nerve
- 뒤귓바퀴동맥의 후두가지 Occipital branch of posterior auricular artery
- 뒤통수동맥 Occipital artery
- 얼굴신경의 뒤귓바퀴신경 Posterior auricular branches of facial nerve

◉ **시작점** 뒤통수힘살은 위목덜미선 가쪽 2/3 부분과 꼭지돌기부분, 이마힘살은 관상봉합 높이에서 머리덮개널힘줄

◉ **부착점** 뒤통수부분의 피부, 이마부분의 피부, 머리덮개널힘줄

◉ **신경지배** 이마부분은 얼굴신경의 관자가지, 뒤통수부분은 얼굴신경으로부터 뒤귓바퀴신경

◉ **기능** 머리덮개(두피)를 앞뒤로 움직이고 눈썹을 끌어올린다(놀랐을 때).

Tips

● 이마힘살은 눈썹을 위로 치켜올리며 주름을 만들고, 깜짝 놀랐을 때 눈이 커지는 표정을 만들어낸다.

● 이마힘살에 이상이 있으면 족양명위경의 두유혈 부분에 전두통이 오며, 스트레스로 인해 이마를 찡그리는 현상으로 나타난다.

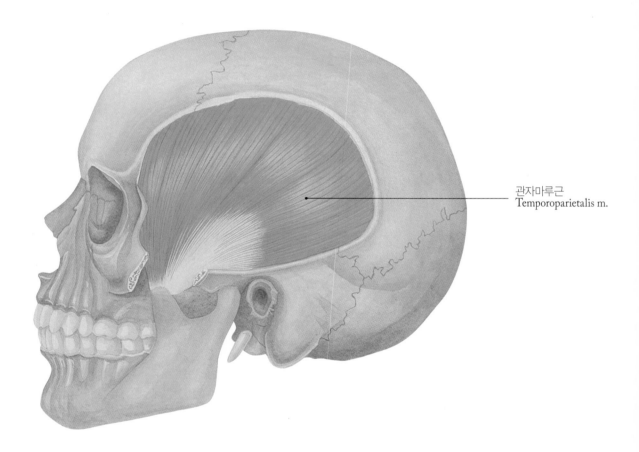

관자마루근
Temporoparietalis m.

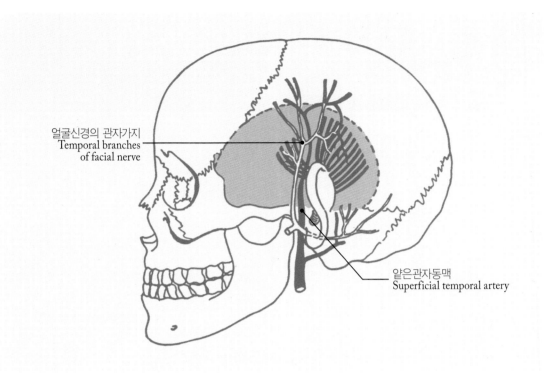

얼굴신경의 관자가지
Temporal branches
of facial nerve

얕은관자동맥
Superficial temporal artery

◉ **시작점**   귀의 윗부분 및 앞부분의 관자근막
◉ **부착점**   머리덮개널힘줄의 가쪽모서리
◉ **신경지배** 얼굴신경의 관자가지
◉ **기능**   피부를 바짝 조여 관자놀이의 피부를 뒤쪽으로 끌어당긴다.

Tips

● 저작(씹는)기능과 목주변·목의 통증 등과 관련되며, 족양명위경의 두유혈과 연결된다.
● 추울 때 턱에서 치아 닿는 소리(덜덜 떠는 소리)가 난다.
● 관자동맥이 분포하는 지점이므로 관리할 때 지나친 압력을 주거나 강하게 압박하면 안 된다.
● 팔딱거리는 모습을 관자에서 볼 수 있다.

03. 눈둘레근(안륜근)
Orbicularis oculi m.

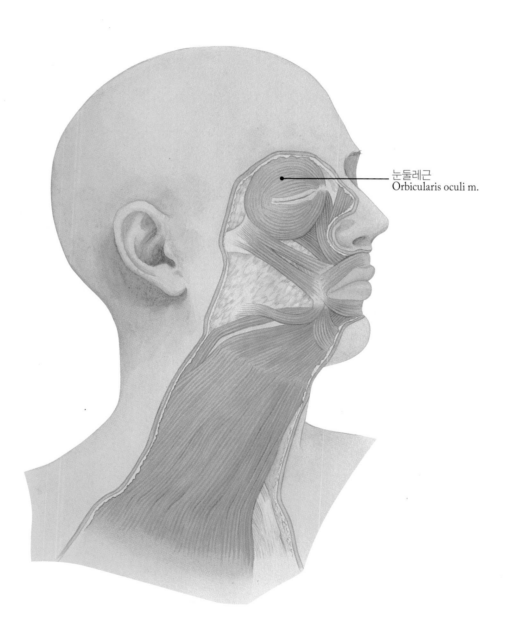

눈둘레근
Orbicularis oculi m.

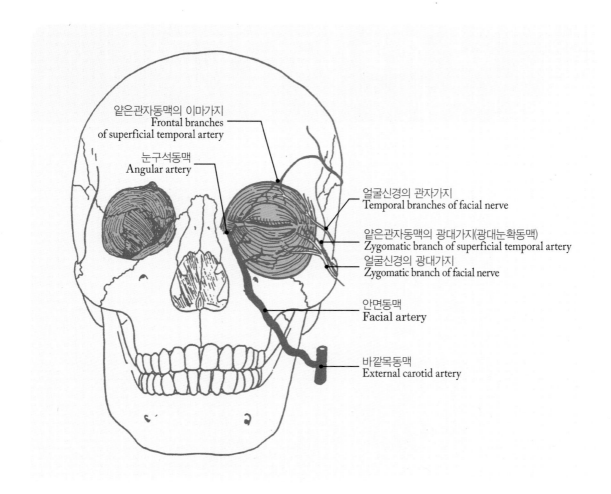

얕은관자동맥의 이마가지
Frontal branches
of superficial temporal artery

눈구석동맥
Angular artery

얼굴신경의 관자가지
Temporal branches of facial nerve

얕은관자동맥의 광대가지(광대눈확동맥)
Zygomatic branch of superficial temporal artery

얼굴신경의 광대가지
Zygomatic branch of facial nerve

안면동맥
Facial artery

바깥목동맥
External carotid artery

● **시작점** 눈확부분은 눈확안쪽모서리에서, 눈꺼풀부분은 눈꺼풀인대에서, 눈물주머니부
분은 눈물뼈에서 시작된다.

● **부착점** 눈확부분섬유는 위눈꺼풀 주위를 활모양으로 둘러싸고, 이어서 아래눈꺼풀 주
위를 돌아 눈꺼풀인대로 되돌아와서 부착된다. 눈꺼풀부분섬유는 눈의 바깥각
부분에서 서로 혼합되어 눈꺼풀솔기가 된다. 눈물주머니부분은 위아래 눈꺼풀
의 안쪽부분에 부착된다.

● **신경지배** 얼굴신경의 관자가지와 광대가지

● **기능** 눈꺼풀 조이기(눈꺼풀부분은 불수의근육)

04. 입둘레근(구륜근)

Orbicularis oris m.

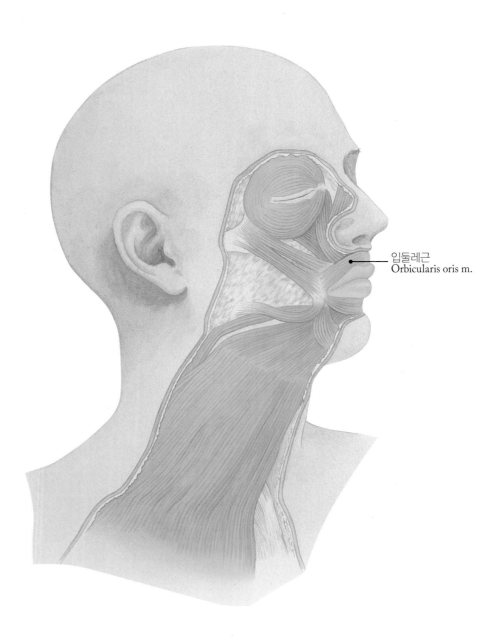

입둘레근
Orbicularis oris m.

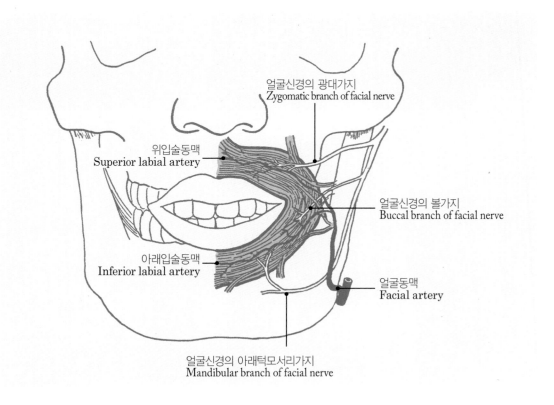

얼굴신경의 광대가지
Zygomatic branch of facial nerve

위입술동맥
Superior labial artery

얼굴신경의 볼가지
Buccal branch of facial nerve

아래입술동맥
Inferior labial artery

얼굴동맥
Facial artery

얼굴신경의 아래턱모서리가지
Mandibular branch of facial nerve

● **시작점·부착점** 조임근은 입언저리에 모여 있는 여러 가지 얼굴근육이 그 자신의 고유 근육섬유에 의해 형성된다. 깊은층은 입술에서 교차하는 볼근으로 되어 있고, 위턱섬유는 아랫입술을 향하고 아래턱섬유는 윗입술을 향한다. 위아래볼근육 섬유는 교차하지 않고, 위아래입술을 향한다. 보다 얕은층에 있는 입꼬리올림 근과 입꼬리내림근섬유의 경우 올림근은 아래입술로, 내림근은 위입술로 가서 입꼬리에서 교차한다. 위쪽섬유는 정중선부근에 부착되고, 위입술올림근·볼 근·아래입술내림근에서 오는 섬유는 가로섬유와 혼합된다. 입술의 고유섬유 는 피부밑점막쪽으로 비스듬히 뻗어 있다. 고유섬유의 가쪽다발은 가쪽앞니에 대해 위턱이틀모서리에서 시작되고, 가쪽을 향해서 아치모양을 만들어 입꼬리 섬유로 이어진다. 정중다발은 윗입술을 코중격으로 연결시킨다.

● **신경지배** 얼굴신경의 아래광대가지·볼가지·아래턱가지(아래턱모서리가지)

● **기능** 입술을 축소·수축·돌출시킨다. 표정을 나타낼 때 사용된다.

05. 큰 · 작은광대근(대 · 소관골근)
Zygomaticus m. major/minor

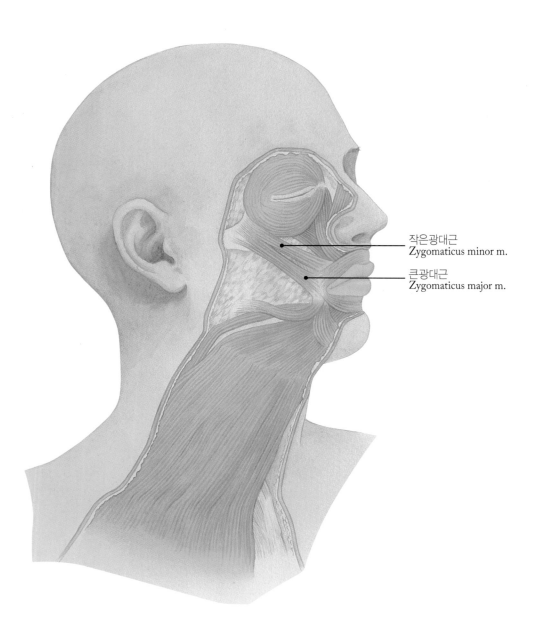

작은광대근
Zygomaticus minor m.

큰광대근
Zygomaticus major m.

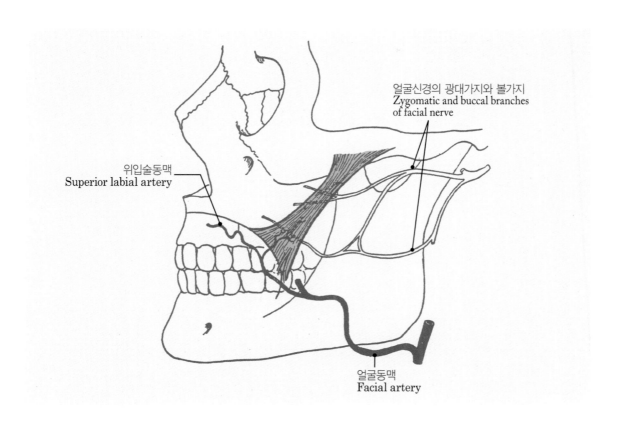

● **시작점**   광대활의 광대뼈부분

● **부착점**   입꼬리에서 입꼬리내림근, 송곳니근, 입둘레근과 혼합된다.

● **신경지배** 얼굴신경의 광대가지와 볼가지

● **기능**   웃을 때 입꼬리를 뒤쪽 및 위쪽으로 끌어당긴다.

Chapter 2
씹기 근육

01. 관자근(측두근)

Temporalis m.

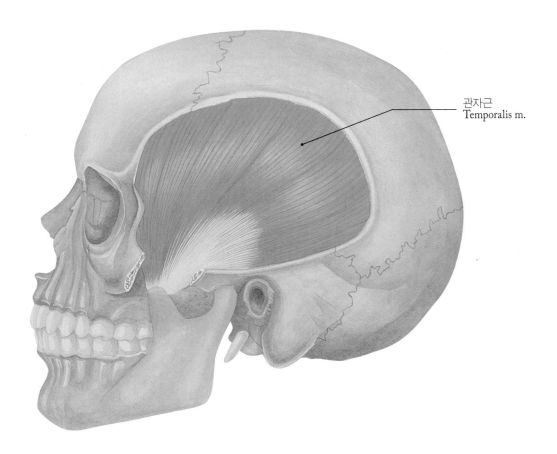

관자근
Temporalis m.

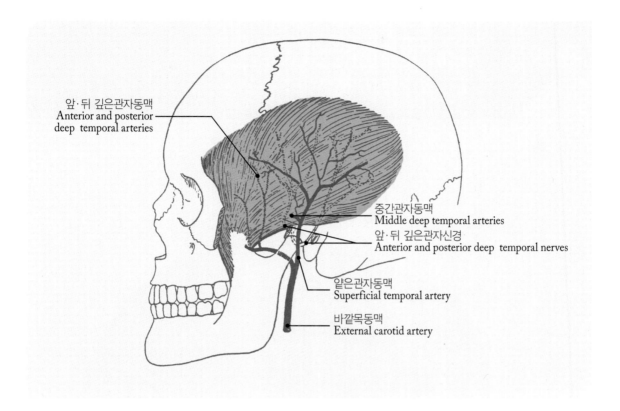

앞·뒤 깊은관자동맥
Anterior and posterior
deep temporal arteries

중간관자동맥
Middle deep temporal arteries

앞·뒤 깊은관자신경
Anterior and posterior deep temporal nerves

얕은관자동맥
Superficial temporal artery

바깥목동맥
External carotid artery

◗ **시작점** 관자우묵의 바닥과 관자근막

◗ **부착점** 아래턱의 갈고리돌기 앞모서리와 아래턱가지의 앞모서리

◗ **신경지배** 삼차신경의 아래턱신경앞가지의 깊은관자가지

◗ **기능** 아래턱을 들어올린다. 아래턱을 끌어당겨 이를 다물게 한다.

Tips

● 이 근육은 이비인후과질환인 이명, 코막힘, 두통, 안면비대칭 등에 영향을 준다.

● 온도 변화에 민감한 근육으로, 추울 때 치아의 움직임에 영향을 준다.

● 경락적으로 족양명위경의 두유혈이 있어 위장기능이 두통에 영향을 주는 근육이다.

● 깨물근(교근)과 같이 (뇌)혈액순환에 영향을 미친다.

● 관자근(측두근)을 관리할 때에는 관자(측두)동맥가지 부분에 주의하여 혈관통증이 느껴지지 않
도록 해야 한다.

02. 깨물근(교근)
Masseter m.

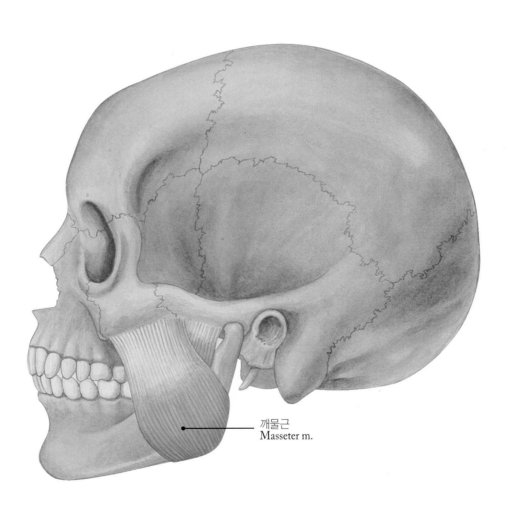

깨물근
Masseter m.

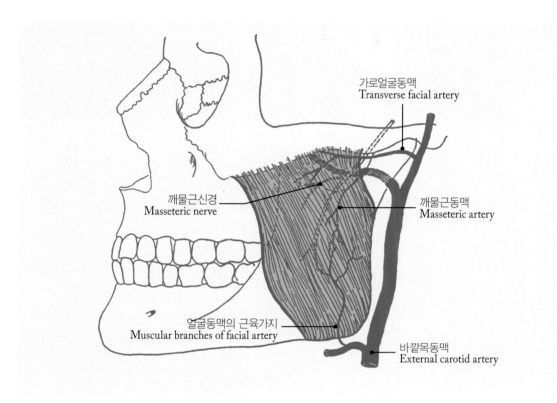

깨물근신경
Masseteric nerve

가로얼굴동맥
Transverse facial artery

깨물근동맥
Masseteric artery

얼굴동맥의 근육가지
Muscular branches of facial artery

바깥목동맥
External carotid artery

● **시작점**   얕은층은 광대활 아래모서리 앞 2/3에서, 깊은층은 광대활안쪽면에서 시작된다.

● **부착점**   아래턱의 갈고리돌기 가쪽면. 아래턱가지의 위쪽반분과 아래턱각

● **신경지배**   삼차신경의 아래턱신경앞가지에서 나온 깨물근신경

● **기능**   턱을 들어올려 이가 맞닿게 한다.

Tips

● 깨물근이상은 턱관절(TMJ)의 부정교합으로 나타나고, 두통과 체형의 틀어짐에도 관여한다.

● 깨물근은 관자근과 함께 저작(씹는)기능을 할 때 주로 사용된다.

● 강한 근육으로 차력사들이 입으로 차력시범을 보일 때도 사용된다.

● 치아부정교합, 사각턱과도 관련이 있다.

● 목빗근(흉쇄유돌근)의 기능이 떨어지면 깨물근에도 영향을 미친다.

03. 안쪽 · 가쪽날개근(익돌근)
Medial·Lateral pterygoid

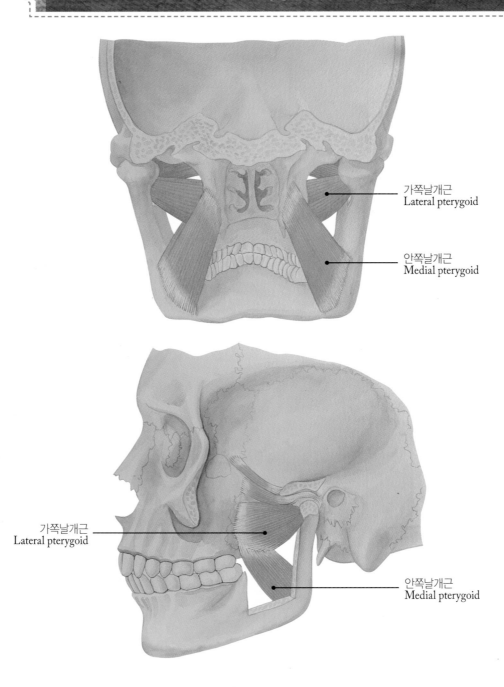

가쪽날개근
Lateral pterygoid

안쪽날개근
Medial pterygoid

가쪽날개근
Lateral pterygoid

안쪽날개근
Medial pterygoid

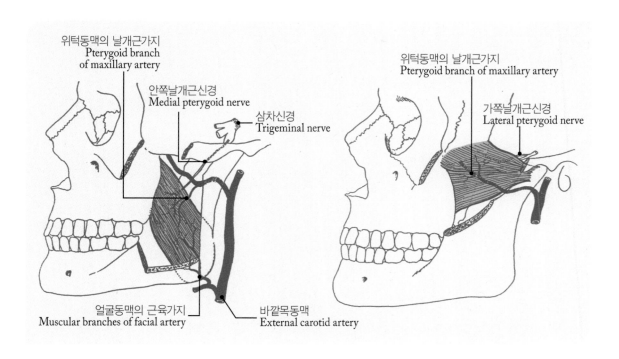

안쪽날개근

- **시작점** 날개돌기 가쪽판의 안쪽면과 입천장뼈의 피라미드돌기. 작은근육섬유다발은 위턱결절에서 시작된다.
- **부착점** 아래턱가지 안쪽면 아랫부분 및 뒷부분과 아래턱각
- **신경지배** 삼차신경 아래턱가지의 안쪽날개근가지
- **기능** 아래턱을 끌어당기거나 들어올린다. 씹을 때 회전운동을 보조한다.

가쪽날개근

- **시작점** 위쪽갈래는 나비뼈큰날개관자아래면에서, 아래쪽갈래는 날개돌기 가쪽판의 가쪽면에서 시작된다.
- **부착점** 아래턱뼈관절돌기 목부분의 앞면과 턱관절주머니
- **신경지배** 가쪽날개근신경(아래턱신경의 앞가지)
- **기능** 아래턱을 돌출시키고, 관절원반을 앞쪽으로 끌어당긴다. 씹을 때 회전운동을 보조한다.

Chapter 3
목의 근육

01. 넓은목근(광경근)
Platysma m.

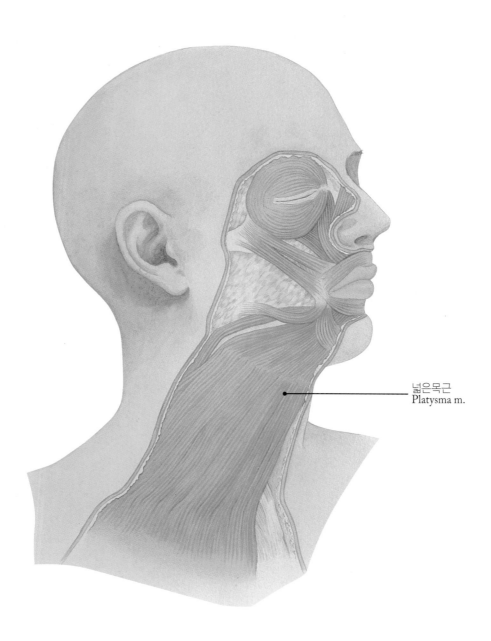

넓은목근
Platysma m.

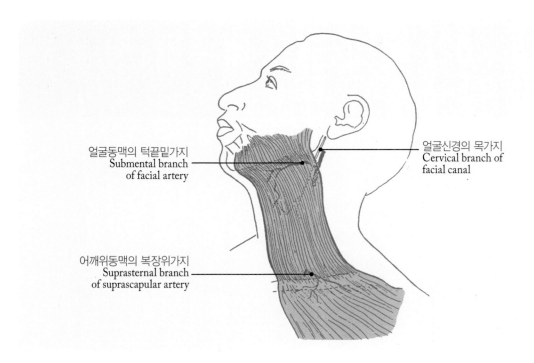

얼굴동맥의 턱끝밑가지
Submental branch
of facial artery

얼굴신경의 목가지
Cervical branch of
facial canal

어깨위동맥의 복장위가지
Suprasternal branch
of suprascapular artery

● **시작점**　큰가슴근 윗부분과 어깨세모근의 얕은층근막 섬유다발에서 시작된다. 이들 섬유는 빗장뼈를 가로지르고, 비스듬하게 목옆부분의 위쪽 및 안쪽으로 향하게 한다.

● **부착점**　한쪽 앞부분섬유는 다른 쪽의 턱 밑에서 혼합되고, 동시에 아랫입술내림근과 입꼬리내림근에도 이어진다. 뒷부분섬유는 아래턱각을 넘어 어떤 것은 아래턱뼈에 부착되고, 다른 것은 얼굴 아래쪽의 피부로 향하는데, 대부분은 입꼬리와 입 밑의 근육에서 합쳐진다.

● **신경지배**　얼굴신경의 목가지

● **기능**　아래턱과 아래입술을 내리고, 목피부를 팽팽하게 하거나 주름을 만든다.

Tips

● 얼굴의 표정에 비대칭이 나타나면 살펴보아야 할 근육이다.

● 인체에서 성형을 할 수 없는 근육이다.

● 어깨세모근(삼각근)과 큰가슴근(대흉근)의 근막과 연결되어 어깨의 움직임에 영향을 준다.

● 어깨관절의 가동은 등세모근(승모근)과 목빗근(흉쇄유돌근)의 연계로 이루어지는데, 이 근육들에 이상이 생기면 얼굴근육의 부자유스러움에 영향을 준다.

02. 목빗근(흉쇄유돌근)

Sternocleidomastoid m.

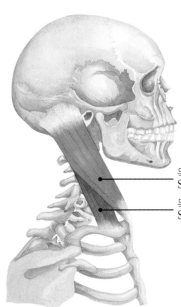

목빗근 복장갈래
Sternocleidomastoid m., sternal branch

목빗근 빗장갈래
Sternocleidomastoid m., clavicular branch

Tips

- 목빗근이 긴장되면 온목동맥(총경동맥)과 속목정맥(내경정맥)을 압박해서 머리와 목부위로의 혈액순환을 원활하지 않게 하여 폐색이 생기고, 2차적으로 심한 두통과 안면부통증·부종을 일으킨다.
- 목동맥과 척추동맥은 뇌로 올라가는 윌리스고리(circle of Willis)를 형성한다(뇌혈압에 직접적인 연관).
- 옛이름인 흉쇄유돌근은 흉골+쇄골+유양돌기에 걸쳐져서 붙여진 이름이다.
- 두경부(머리와 목 부위)와 등세모근(승모근)을 안정시키고 고정시킨다.
- 이비인후과적인 모든 질환에 연관된 근육이다.
- 미용적 얼굴변이(광대뼈, 사각턱, 얼굴축소) 등에 관여한다.
- 뇌혈액순환에 관여한다(목동맥).
- 눈가의 주름, 얼굴의 미용적 피부 문제 등에 관여한다.
- 두통과 목주변의 통증에 관여한다.

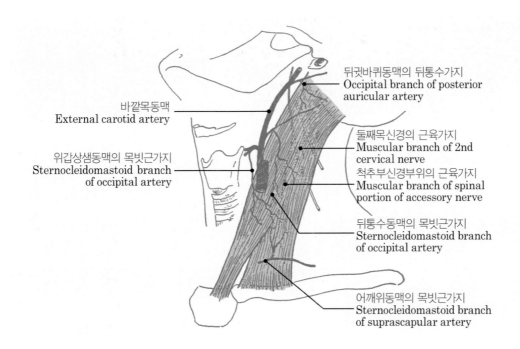

뒤귓바퀴동맥의 뒤통수가지
Occipital branch of posterior auricular artery

바깥목동맥
External carotid artery

위갑상샘동맥의 목빗근가지
Sternocleidomastoid branch of occipital artery

둘째목신경의 근육가지
Muscular branch of 2nd cervical nerve

척추부신경부위의 근육가지
Muscular branch of spinal portion of accessory nerve

뒤통수동맥의 목빗근가지
Sternocleidomastoid branch of occipital artery

어깨위동맥의 목빗근가지
Sternocleidomastoid branch of suprascapular artery

◉ **아래쪽부착점**   복장뼈머리 복장뼈자루의 윗면
　　　　　　　　　　빗장갈래　　빗장뼈의 안쪽 3분의 1

◉ **위쪽부착점**   관자뼈 꼭지돌기

◉ **신경지배**   척추부신경(뇌신경 XI)

◉ **수축기능**   양쪽 수축　머리와 목 굽히기
　　　　　　　　한쪽 수축　수축쪽과 반대쪽으로 머리와 목부위 돌리기
　　　　　　　　　　　　　　머리와 목부위 옆굽히기

◉ **해설**   목옆을 비스듬히 주행하는 띠모양의 근육으로, 인체에서 속근섬유의 비율이
　　　　　　가장 높다. 머리를 기울일 때 빠르게 반응하는 근육이다. 한쪽 목빗근의 긴장
　　　　　　이 항진되면 기운목(torticollis, 사경)상태가 된다. 이것은 목빗근의 모든 기능
　　　　　　이 동시에 나타난 상태로, 머리와 목부위가 굽힘 · 옆굽힘 · 반대쪽으로 돌림의
　　　　　　위치에서 고정되어 버린다. 이 상태는 종종 어린이에게서도 볼 수 있다.

Tips

● 혈압 낮추기 마사지
　① 목빗근 풀기 ② 빗장밑동 · 정맥(쇄골하동 · 정맥) 풀기 ③ 어깨밑근(견갑하근)쪽 수소음심경
　의 극천혈 풀기

03. 두힘살근(이복근)
Digastric m.

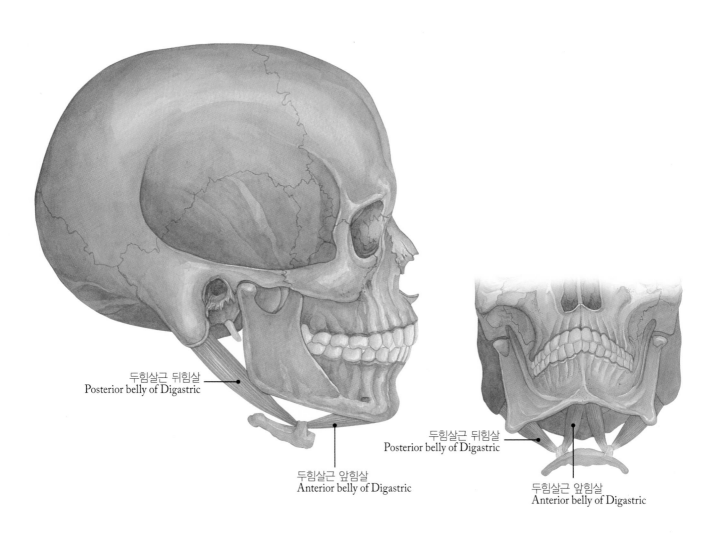

두힘살근 뒤힘살
Posterior belly of Digastric

두힘살근 앞힘살
Anterior belly of Digastric

두힘살근 뒤힘살
Posterior belly of Digastric

두힘살근 앞힘살
Anterior belly of Digastric

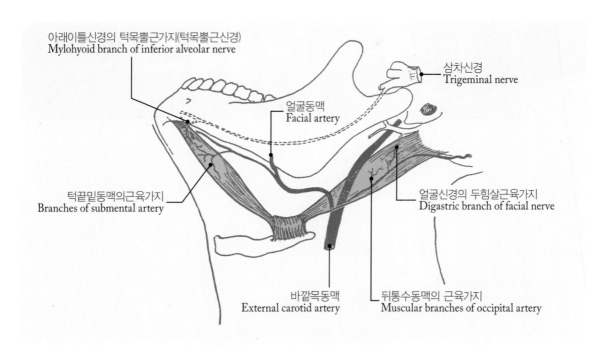

아래이틀신경의 턱목뿔근가지(턱목뿔근신경)
Mylohyoid branch of inferior alveolar nerve

삼차신경
Trigeminal nerve

얼굴동맥
Facial artery

턱끝밑동맥의근육가지
Branches of submental artery

얼굴신경의 두힘살근육가지
Digastric branch of facial nerve

바깥목동맥
External carotid artery

뒤통수동맥의 근육가지
Muscular branches of occipital artery

● **시작점**　뒤힘살은 관자뼈의 꼭지패임에서, 앞힘살은 아래턱뼈의 두힘살근오목에서 시작된다.

● **부착점**　양쪽 힘살은 중간사이힘줄에서 이어지고, 그 힘줄부분은 붓목뿔근의 부착점을 빠져나와 섬유고리에 의해 목뿔뼈몸통 및 큰뿔위돌기의 옆쪽에 부착된다.

● **신경지배**　뒤힘살 : 얼굴신경의 가지

　　　　　　앞힘살 : 아래이틀신경의 턱목뿔근가지(턱목뿔근신경)

● **기능**　목뿔뼈와 혀근육을 들어올리고, 목뿔뼈를 고정시킨다.

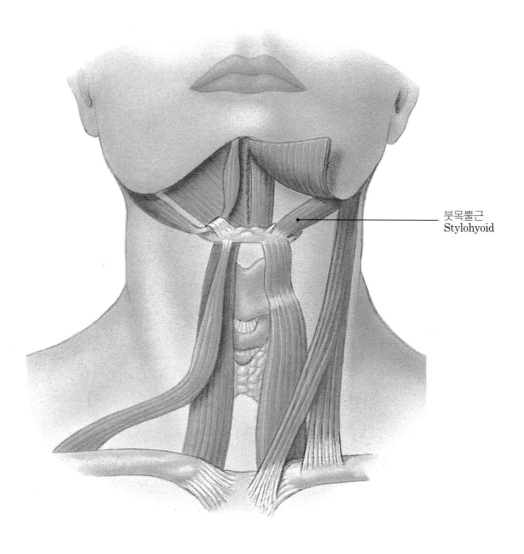

붓목뿔근
Stylohyoid

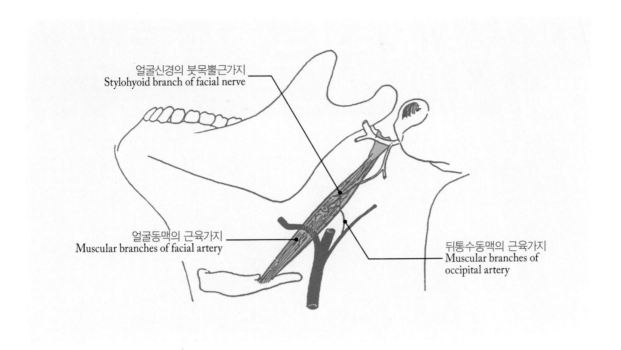

● **시작점**   관자뼈의 붓돌기 뒤모서리의 바닥부분 부근

● **부착점**   목뿔뼈몸통과 큰뿔의 결합부분, 어깨목뿔근 바로 위

● **신경지배**   얼굴신경 뒤가지에서 나오는 붓목뿔근가지

● **기능**   목뿔뼈와 혀근육을 들어올린다.

05. 턱목뿔근(악설골근)
Mylohyoid m.

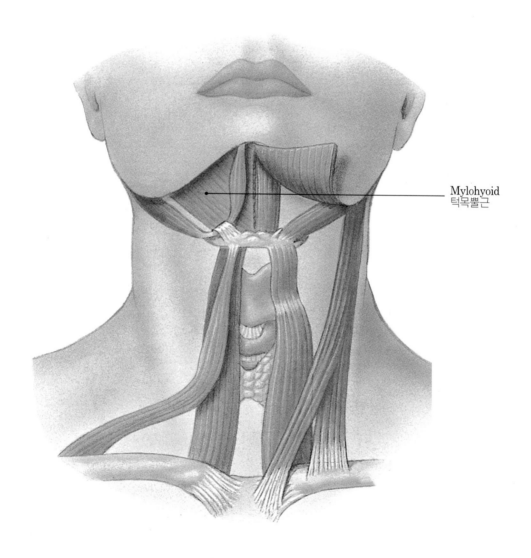

Mylohyoid
턱목뿔근

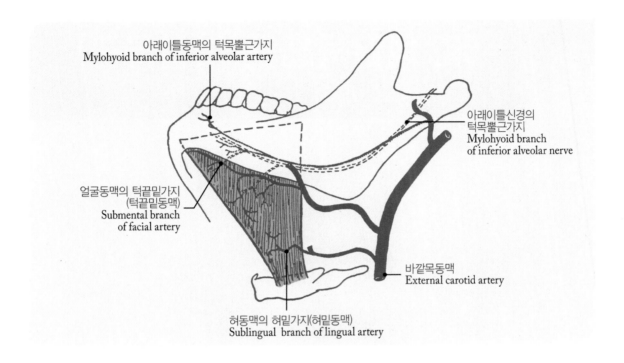

아래이틀동맥의 턱목뿔근가지
Mylohyoid branch of inferior alveolar artery

아래이틀신경의
턱목뿔근가지
Mylohyoid branch
of inferior alveolar nerve

얼굴동맥의 턱끝밑가지
(턱끝밑동맥)
Submental branch
of facial artery

바깥목동맥
External carotid artery

혀동맥의 혀밑가지(혀밑동맥)
Sublingual branch of lingual artery

- 🔘 **시작점** 아래턱결합에서 셋째큰어금니에 이르는 선(턱목뿔근선)
- 🔘 **부착점** 턱끝목뿔근의 중앙솔기와 목뿔뼈몸통
- 🔘 **신경지배** 아래이틀신경의 턱목뿔근가지(삼차신경가지)
- 🔘 **기능** 목뿔뼈와 혀근육을 들어올리고, 입속공간바닥을 들어올린다. 목뿔뼈가 고정되어 있을 때 아래턱을 내린다.

06. 턱끝목뿔근(이설골근)

Geniohyoid m.

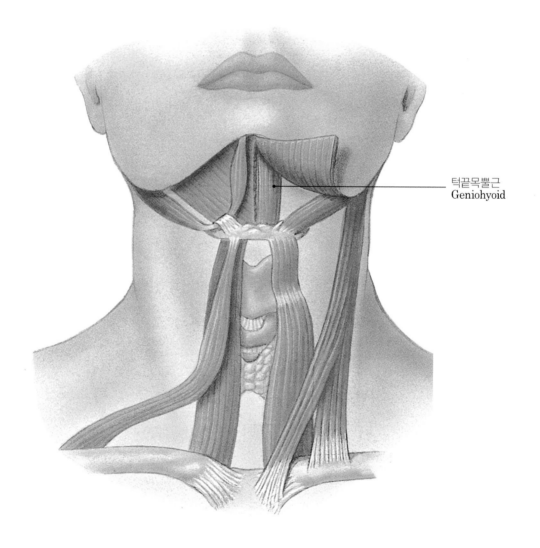

턱끝목뿔근
Geniohyoid

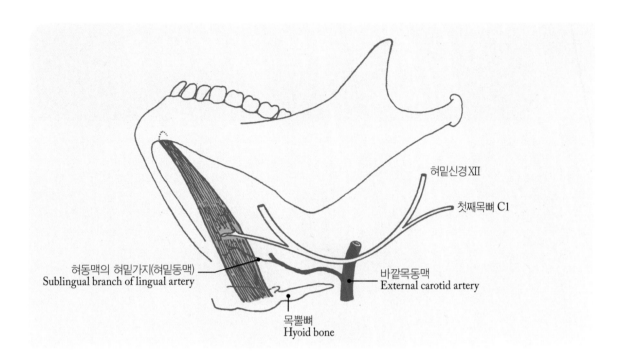

혀밑신경 XII

첫째목뼈 C1

혀동맥의 혀밑가지(혀밑동맥)
Sublingual branch of lingual artery

바깥목동맥
External carotid artery

목뿔뼈
Hyoid bone

● **시작점**　아래턱결합 뒤에 있는 턱끝가시
● **부착점**　목뿔뼈몸통의 앞면
● **신경지배**　혀밑신경에 끼어 있는 첫째목척수의 가지
● **기능**　목뿔뼈와 혀를 들어올린다.

07. 복장목뿔근(흉설골근)
Sternohyoid m.

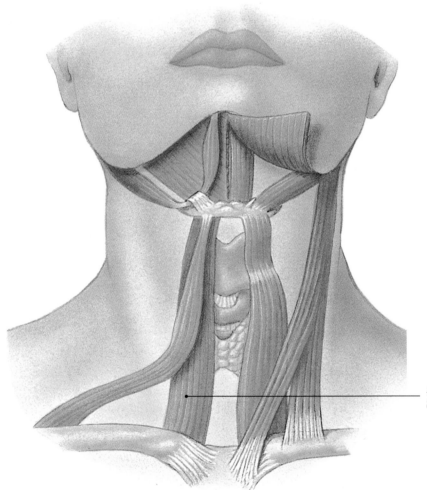

복장목뿔근
Sernohyoid

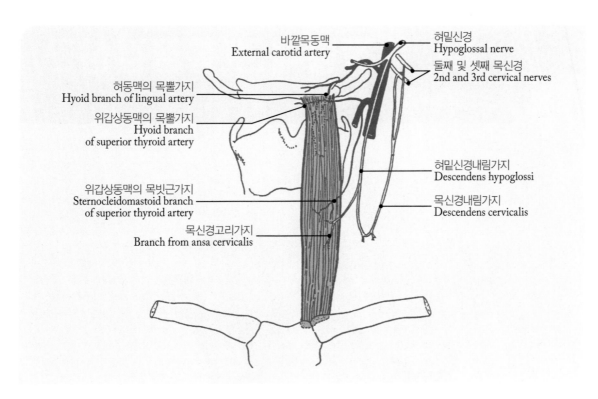

● **시작점** 복장뼈자루의 뒷면, 뒤복장빗장인대, 빗장뼈의 안쪽끝
● **부착점** 목뿔뼈몸통 아래모서리의 안쪽부분
● **신경지배** 목뼈신경고리
● **기능** 후두와 목뿔뼈를 끌어내리고, 목뿔뼈를 고정시킨다.

08. 복장방패근(흉골갑상근)
Sternothyroid m.

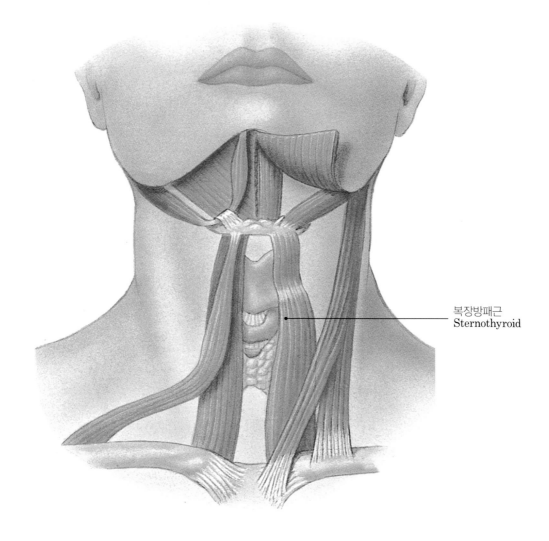

복장방패근
Sternothyroid

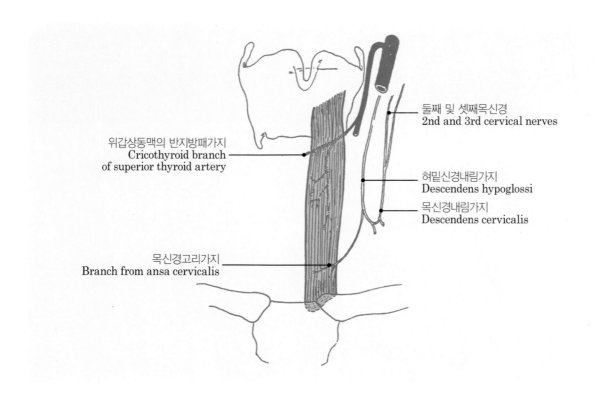

위갑상동맥의 반지방패가지
Cricothyroid branch
of superior thyroid artery

목신경고리가지
Branch from ansa cervicalis

둘째 및 셋째목신경
2nd and 3rd cervical nerves

혀밑신경내림가지
Descendens hypoglossi

목신경내림가지
Descendens cervicalis

⬤ **시작점** 복장뼈자루의 뒷면에서 복장목뿔근 시작점의 아래쪽 깊은부분, 첫째갈비연골의 끝

⬤ **부착점** 방패연골판 위 빗금부분

⬤ **신경지배** 목신경고리

⬤ **기능** 후두와 방패연골을 끌어내린다.

09. 방패목뿔근(갑상설골근)

Thyrohyoid m.

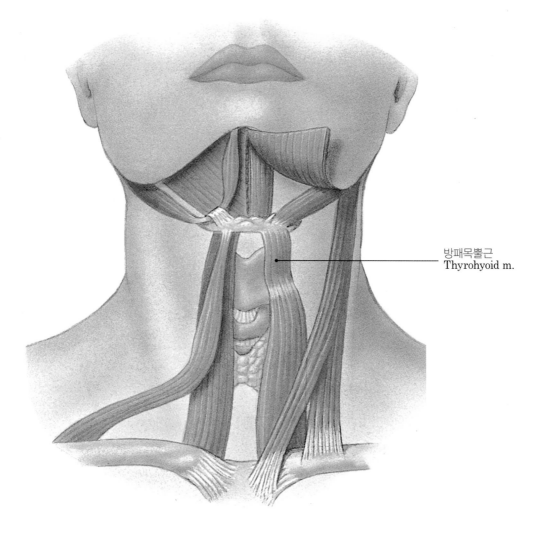

방패목뿔근
Thyrohyoid m.

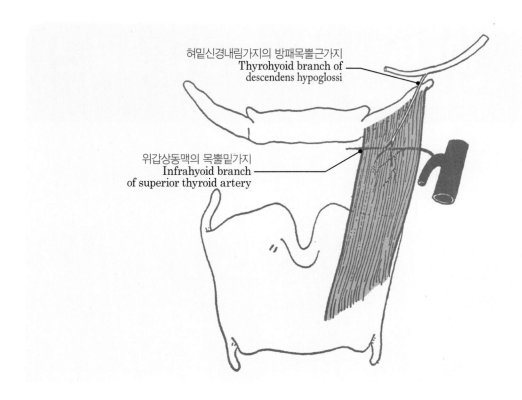

혀밑신경내림가지의 방패목뿔근가지
**Thyrohyoid branch of
descendens hypoglossi**

위갑상동맥의 목뿔밑가지
**Infrahyoid branch
of superior thyroid artery**

● **시작점**　방패연골판 위 빗금부분
● **부착점**　목뿔뼈몸통 및 큰뿔의 아래모서리
● **신경지배**　혀밑신경내림가지에 끼어 있는 첫째목척수의 방패목뿔근가지
● **기능**　후두와 목뿔뼈를 끌어내리고, 방패연골을 끌어올린다.

10. 어깨목뿔근(견갑설골근)
Omohyoid m.

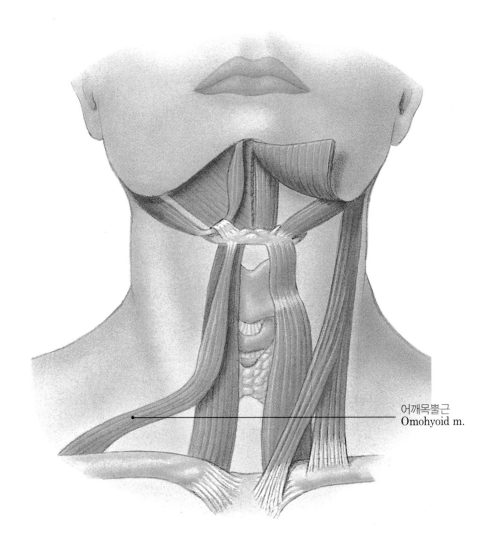

어깨목뿔근
Omohyoid m.

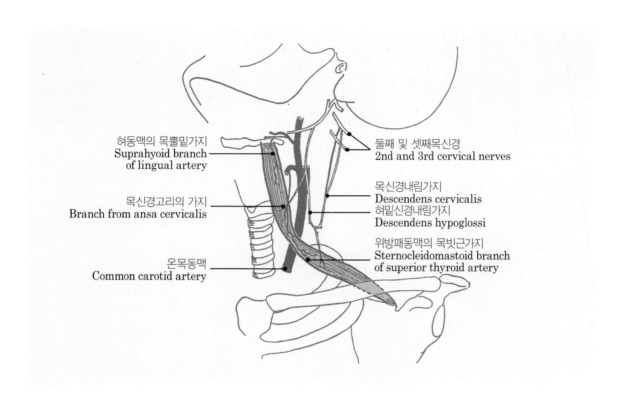

혀동맥의 목뿔밑가지
Suprahyoid branch
of lingual artery

목신경고리의 가지
Branch from ansa cervicalis

온목동맥
Common carotid artery

둘째 및 셋째목신경
2nd and 3rd cervical nerves

목신경내림가지
Descendens cervicalis
혀밑신경내림가지
Descendens hypoglossi

위방패동맥의 목빗근가지
Sternocleidomastoid branch
of superior thyroid artery

◉ **시작점** 아래힘살은 어깨뼈위모서리와 어깨뼈위인대에서 시작되어 목빗근의 아래면에서 힘줄이 되어 끝난다. 아래힘살은 이 힘줄에서 위쪽을 향해 뻗는다.

◉ **부착점** 목뿔뼈몸통의 아래모서리

◉ **신경지배** 둘째 및 셋째목신경의 안쪽가지와 혀밑신경 내림가지로 이루어진 목신경고리

◉ **기능** 목뿔뼈를 고정시키고, 목뿔뼈와 후두를 끌어내린다.

11. 긴목근(경장근)

Longus colli m.

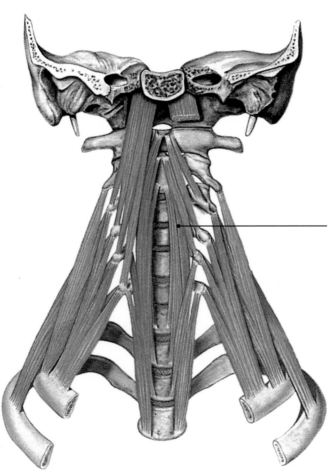

긴목근
Longus colli m.

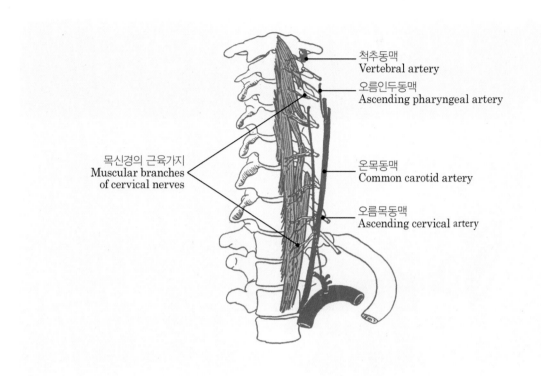

척추동맥
Vertebral artery

오름인두동맥
Ascending pharyngeal artery

목신경의 근육가지
Muscular branches
of cervical nerves

온목동맥
Common carotid artery

오름목동맥
Ascending cervical artery

◉ **시작점** 수직부분은 처음 3개의 등뼈와 마지막 3개의 목뼈몸통에서, 아래경사부는 처음 3개의 등뼈몸통에서, 위경사부는 셋째~다섯째목뼈의 가로돌기 앞결절에서 시작된다.

◉ **부착점** 수직부분은 둘째~넷째목뼈몸통에, 아래경사부는 다섯째~여섯째목뼈가로돌기의 앞결절에, 위경사부는 고리뼈의 앞결절에 부착된다.

◉ **신경지배** 둘째~여덟째목뼈신경앞가지

◉ **기능** 목뼈와 머리를 굽히고, 동시에 회전을 보조한다. 한쪽만 기능하면 척추가 옆쪽으로 기울어진다.

12. 긴머리근(두장근)

Longus capitis m.

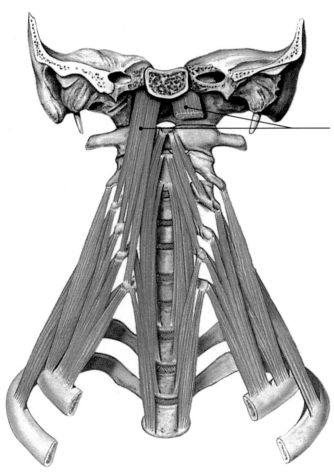

긴머리근
Longus capitis m.

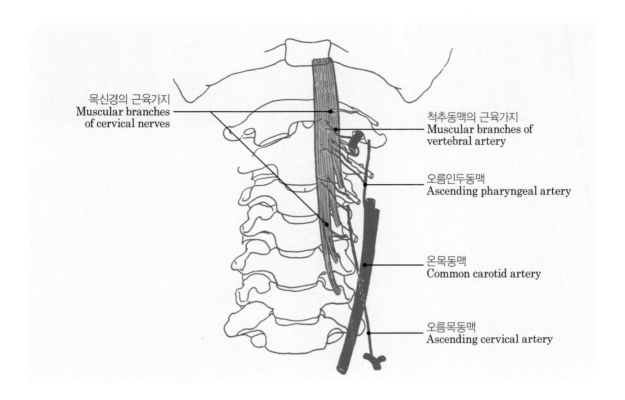

목신경의 근육가지
Muscular branches
of cervical nerves

척추동맥의 근육가지
Muscular branches of
vertebral artery

오름인두동맥
Ascending pharyngeal artery

온목동맥
Common carotid artery

오름목동맥
Ascending cervical artery

- **시작점** 셋째~여섯째목뼈가로돌기의 앞결절
- **부착점** 뒤통수뼈바닥의 아랫면
- **신경지배** 첫째~넷째목신경의 근육가지
- **기능** 목뼈와 머리를 굽히고, 동시에 회전을 보조한다.

13. 목갈비근(사각근)

Scalenus m.

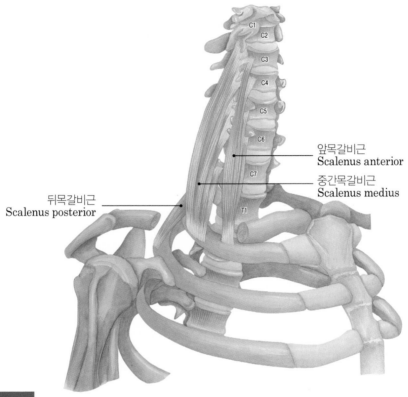

C1
C2
C3
C4
C5
C6
C7
T1

앞목갈비근
Scalenus anterior

중간목갈비근
Scalenus medius

뒤목갈비근
Scalenus posterior

Tips

- 목갈비근이 손상되기 쉬운 상태
  - 비스듬한 자세로 독서하거나, 어깨와 목을 이용해 전화를 받는 자세
  - 윗몸에 무리한 힘이 반복적으로 가해지는 상태
  - 교통사고 등으로 머리에 가해지는 외상
- 목갈비근이상과 목디스크의 다른 점
  - 목디스크는 손상된 목뼈(경추)의 부위에 따라 신경지배와 관련된 증상을 나타낸다.
  - 목갈비근이상은 방사선 소견에서 디스크가 아니며, 팔과 손으로 내려오는 통증이나 저림이 첫째와 둘째손가락으로 내려온다. 일부 호흡곤란이 있을 수도 있다.

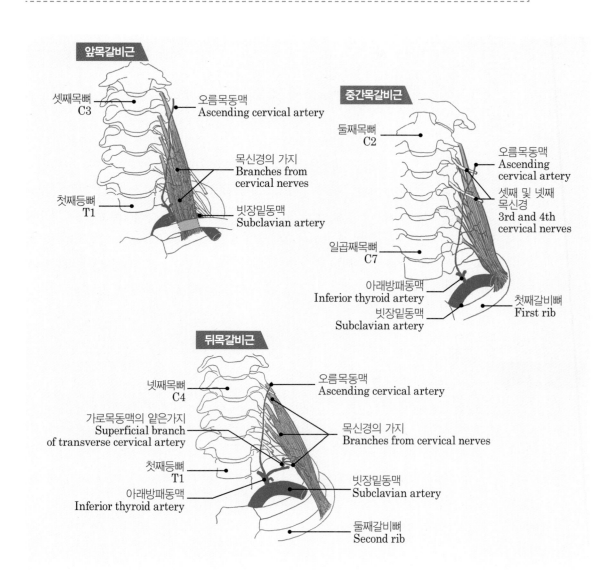

🔘 **앞목갈비근**
- 아래쪽부착점 : 첫째갈비뼈
- 위쪽부착점 : C3~C7의 가로돌기

🔘 **중간목갈비근**
- 아래쪽부착점 : 첫째갈비뼈
- 위쪽부착점 : C2~C7의 가로돌기

🔘 **뒤목갈비근**
- 아래쪽부착점 : 둘째갈비뼈 가쪽면
- 위쪽부착점 : C5~C7의 가로돌기

🔘 **신경지배(근육전체)**
앞가지(C3~C7)

13. 목갈비근(사각근)

수축기능(근육전체)

양쪽 수축
- 목 굽히기(앞 · 중간목갈비근)
- 첫째 · 둘째갈비뼈 올리기에 의한 들숨 보조

한쪽 수축
- 옆굽히기

해설

목갈비근(6개 모두)은 크고 고정되어 있지 않은 안테나탑을 지탱하는 케이블과 같은 방법으로 머리와 목부위를 안정시키고 있다. 이들 근육은 갈비뼈에 부착되기 때문에 근육수축에 의하여 갈비뼈를 위쪽으로 들어올려 들숨을 보조하는 기능을 한다. 만성폐색성허파질환을 앓고 있는 환자는 목갈비근의 활동이 두드러지는 경우가 있다. 또한 호흡기능을 보조하기 위하여 이러한 근육을 장기간 과도하게 사용하면 근육이 비대해진다.

Tips

- 목갈비근은 앞 · 중간 · 뒤의 세 부분으로 나누어져 있고, 척추에서 시작하여 갈비뼈에서 끝난다.
- 옛이름인 사각근은 '목을 측면으로 기울이게 하는 근육'이란 뜻인데, 이때 기울어지는 각도는 예각(직각보다 작은 각)과 둔각(90도 이상 180도 이하의 각)의 중간 정도이다.
- 앞목갈비근(전사각근)과 중간목갈비근(중사각근) 사이의 공간에는 위팔신경얼기(상완신경총)와 빗장밑동맥(쇄골하동맥)이 나와서 빗장밑근으로 내려간다.
- 목갈비근이 과긴장하면 폐색이 발생하여 손이 저리고 부기가 형성되어 마치 관절염증상처럼 느껴진다.
- 목갈비근의 문제는 앞톱니근(전거근)에 이상을 일으켜 앞톱니근의 통증을 유발한다.
- 목갈비근의 문제로 인해 5번목뼈에서 나오는 등쪽어깨신경(견갑배신경)에 이상이 생기면 마름근(능형근) 주변에 통증이 유발된다.
- 윗몸에 발생하는 대부분의 문제는 목갈비근을 예의 주시해야 한다.
- 림프의 흐름과 림프관의 중요한 포인트이다.
- 첫째와 둘째갈비뼈를 고정하여 강합 흡기 시에는 갈비뼈를 위로 들어 호흡을 돕는다.
- 팔의 저림 · 마비 · 통증 등의 모든 문제는 목갈비근을 먼저 풀어주고 해결해야 한다.

Chapter 4
뒤통수 아래쪽의 근육

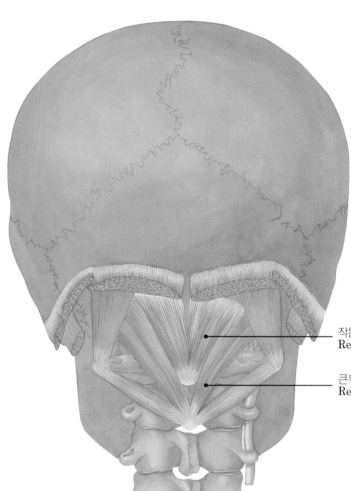

작은뒤머리곧은근
Rectus capitis posterior minor m.

큰뒤머리곧은근
Rectus capitis posterior major m.

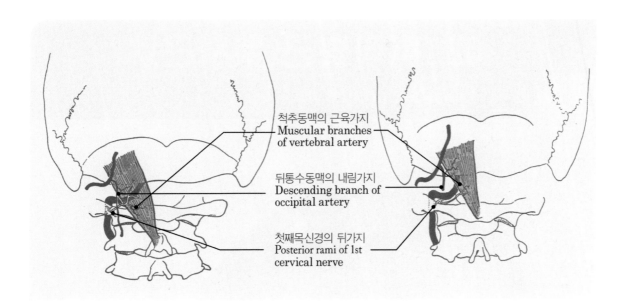

큰뒤머리곧은근

- ⬤ **시작점**   둘째목뼈 가시돌기
- ⬤ **부착점**   뒤통수뼈의 아랫목덜미선 가쪽부분
- ⬤ **신경지배** 첫째목신경 뒤가지의 근육가지(뒤통수밑신경)
- ⬤ **기능**   머리 펴기, 가쪽굽히기, 돌리기

작은뒤머리곧은근

- ⬤ **시작점**   첫째목뼈(고리뼈)의 뒤결절
- ⬤ **부착점**   뒤통수뼈의 아랫목덜미선에서 아랫부분
- ⬤ **신경지배** 첫째목신경 뒤가지의 근육가지(뒤통수밑신경)
- ⬤ **기능**   목 펴기와 가쪽굽히기

02. 머리빗근(두사근)
Obliquus capitis m.

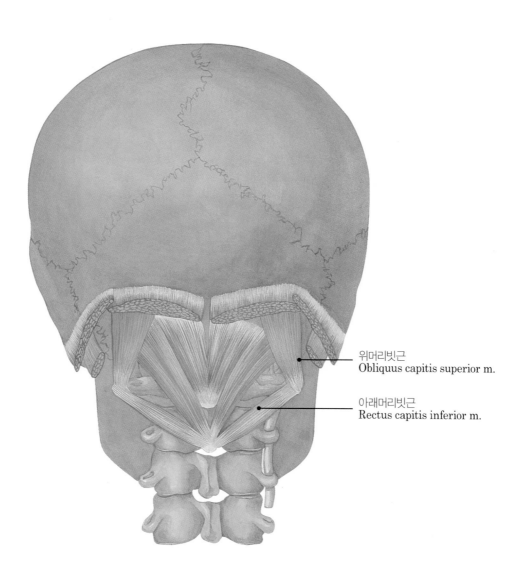

위머리빗근
Obliquus capitis superior m.

아래머리빗근
Rectus capitis inferior m.

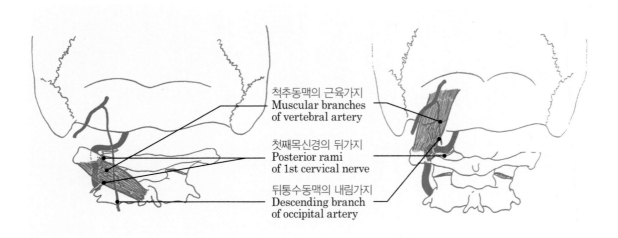

아래머리빗근

● **시작점**   둘째목뼈(중쇠뼈)의 가시돌기

● **부착점**   첫째목뼈(고리뼈)의 가로돌기

● **신경지배** 첫째~둘째목신경 뒤가지의 근육가지

● **기능**   중쇠뼈 치아돌기부위에서 머리뼈와 고리뼈를 돌린다.

위머리빗근

● **시작점**   첫째목뼈(고리뼈)의 가로돌기

● **부착점**   뒤통수뼈의 아랫목덜미선에서 윗부분

● **신경지배** 첫째목신경 뒤가지의 근육가지

● **기능**   머리 펴기와 가쪽돌리기

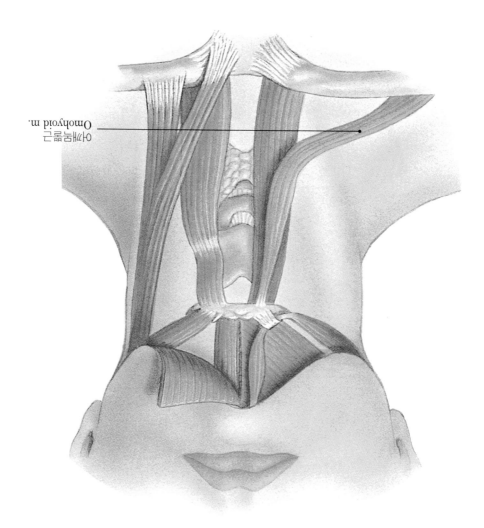

Omohyoid m.
어깨목뿔근

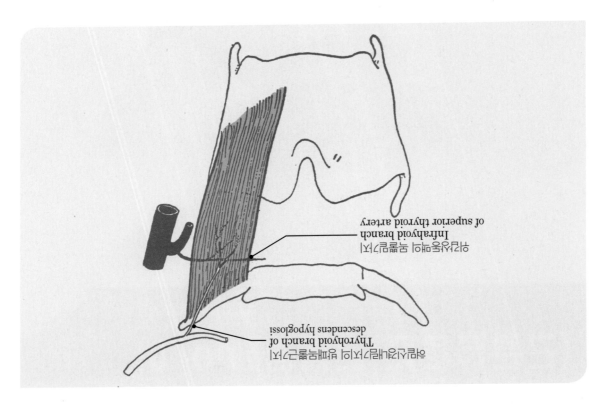

- **시작점** 방패연골판 뒤 빗근선부분
- **닿는곳** 목뿔뼈몸통 밑 큰뿔부분 아래모서리
- **신경지배** 혀밑신경고리가지에 의해 지배되는 첫째목신경의 앞가지를 통해분포된가지
- **기능** 후두와 목뿔뼈를 끌어내리고, 방패연골을 끌어올린다.

Infrahyoid branch
of superior thyroid artery
위갑상동맥의 목뿔밑가지

Thyrohyoid branch of
descendens hypoglossi
혀밑신경내림가지의 방패목뿔가지

Chapter 5
등 부위의 근육

01. 머리널판근(두판상근)
Splenius capitis m.

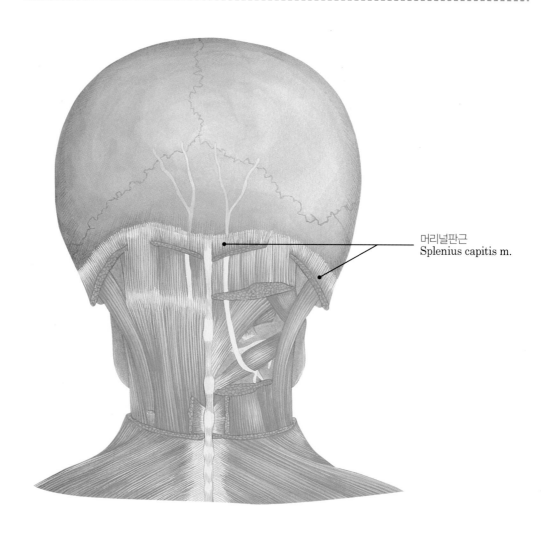

머리널판근
Splenius capitis m.

Tips

● 머리·목부위에서 가장 깊은 부위에 있는 고유의 등근육이다. 이 근육들은 육안으로는 구별할
   수 없으며 부착점에 의하여 판별하게 된다.

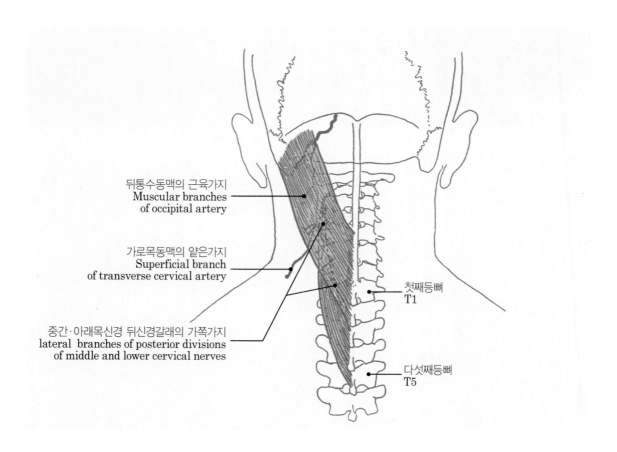

뒤통수동맥의 근육가지
Muscular branches
of occipital artery

가로목동맥의 얕은가지
Superficial branch
of transverse cervical artery

첫째등뼈
T1

중간·아래목신경 뒤신경갈래의 가쪽가지
lateral branches of posterior divisions
of middle and lower cervical nerves

다섯째등뼈
T5

◉ **아래쪽부착점**　목덜미인대의 아래 절반(C3~C6의 위치)과 C7~T3의 가시돌기
◉ **위쪽부착점**　꼭지돌기, 뒤통수뼈의 위목덜미선 가쪽 3분의 1
◉ **신경지배**　중간 · 아래목신경의 뒤가지(C2~C8)
◉ **기능**　양쪽 수축　• 머리와 목부위 펴기
　　　　　한쪽 수축　• 머리와 목부위 옆굽히기
　　　　　　　　　　• 수축하는 쪽으로 머리와 목부위 돌리기

Tips

● 교통사고 시 채찍질손상(whiplash injury, 편타손상)이 자주 발생하는 근육이다.
● 뒤통수뼈(후두골)를 통한 뇌압에 영향을 준다(뇌압의 영향으로 두통이 발생함).
● 등세모근(승모근), 목빗근(흉쇄유돌근), 어깨올림근(견갑거근)에 영향을 주므로 같이 관리해야
　한다.
● 거북목증후군의 발생에 일정 부분 영향을 미친다.

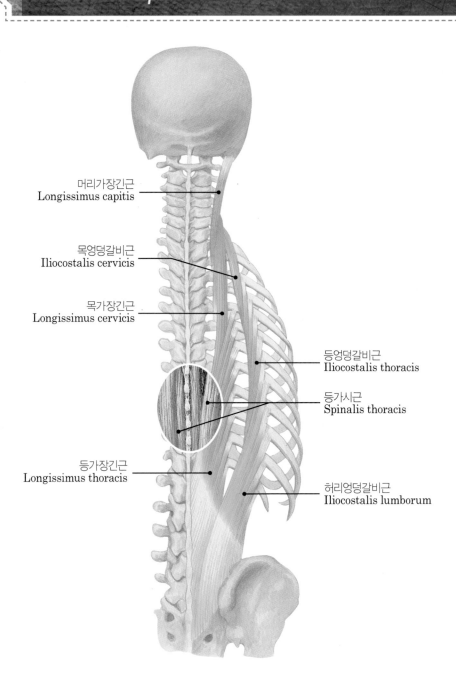

머리가장긴근
Longissimus capitis

목엉덩갈비근
Iliocostalis cervicis

목가장긴근
Longissimus cervicis

등엉덩갈비근
Iliocostalis thoracis

등가시근
Spinalis thoracis

등가장긴근
Longissimus thoracis

허리엉덩갈비근
Iliocostalis lumborum

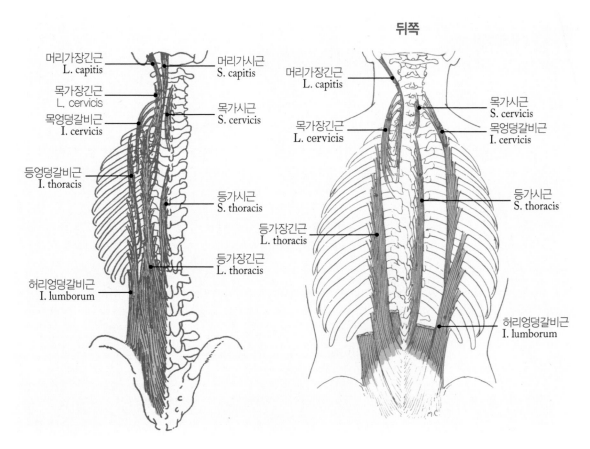

뒤쪽

머리가장긴근
L. capitis

머리가시근
S. capitis

목장긴근
L. cervicis

목가시근
S. cervicis

목엉덩갈비근
I. cervicis

등엉덩갈비근
I. thoracis

등가시근
S. thoracis

허리엉덩갈비근
I. lumborum

등가장긴근
L. thoracis

머리가장긴근
L. capitis

목가시근
S. cervicis

목엉덩갈비근
I. cervicis

목장긴근
L. cervicis

등가시근
S. thoracis

등가장긴근
L. thoracis

허리엉덩갈비근
I. lumborum

● **시작점 · 부착점**   이 근육은 엉치뼈에서 머리뼈에 걸린 서로 다른 여러 개의 근육다발로 이루어진 가늘고 긴 덩어리이다. 이 근육은 엉치뼈, 엉덩뼈능선, 열한째~열두째등뼈와 허리뼈에서 시작된다. 그리고 엉덩갈비근, 중간가장긴근, 안쪽가시근으로 나누어진다.

● **신경지배**   해당 부위의 척추신경 뒤가지

● **기능**   척주를 펴고, 옆으로 굽히기와 동시에 돌려준다.

Tips

● 엉덩갈비근(장륵근), 가시근(극근), 가장긴근(최장근)을 합쳐서 척주세움근이라고 한다.

● 엉치뼈(천골), 엉덩뼈(장골), 그리고 허리뼈(요추)의 돌기부위에 부착되어 있으며, 여기에서부터 머리뼈를 향해 수직으로 뻗어올라 신체 골격을 지지하는 기둥역할을 수행한다.

● 척주를 펴고 아래쪽으로 당기는 기능을 한다.

등부위의 근육

(1) 척주세움근

척주세움근(erector spinae m.)은 크고, 가시돌기에서 대략 손 하나의 너비이다. 척주세움근을 구성하는 근육은 척주 양쪽을 무작위로 주행하는데, 전체적으로는 가로방향으로 주행하는 근육군이다. 이 근육군은 척주 전체 및 머리와 목부위로 뻗어 있기 때문에 그것들의 안정성을 확보할 수 있다.

척주세움근은 가시근, 가장긴근, 엉덩갈비근이라는 3개의 가느다란 기둥모양의 근육으로 구성된다. 각각의 근육기둥은 다시 3개의 영역으로 나누어진다. 척주세움근의 아래 부분은 넓고 두꺼운 힘줄이 모여 엉치뼈표면에 부착된다. 그리고 그 두꺼운 공동힘줄은 등허리근막의 표면부분에서 융합한다. 척주세움근의 부착점 및 기능은 아래의 표와 같다.

 척주세움근

근육	아래쪽부착점	위쪽부착점	기능	신경지배
엉덩갈비근 허리엉덩갈비근 등엉덩갈비근 목엉덩갈비근	공동힘줄 » 여섯째~열두째갈비뼈각 » 셋째~일곱째갈비뼈각	» 여섯째~열두째갈비뼈각 » 첫째~여섯째갈비뼈각 » C4-C6의 가로돌기	» 양쪽 수축 : 펴기 » 한쪽 수축 : 옆굽히기	척수신경에 근접된 뒤가지
가장긴근 등가장긴근 목가장긴근 머리가장긴근	공동힘줄 » T1-T4의 가로돌기 » T1-T5의 가로돌기와 C3-C7의 관절돌기	» T1-T12의 가로돌기 » C2-C6의 가로돌기 » 관자뼈 꼭지돌기	» 양쪽 수축 : 펴기 » 한쪽 수축 : 옆굽히기	척수신경에 근접된 뒤가지
가시근 등가시근 목가시근 머리가시근	공동힘줄 » 목덜미인대와 C7~T1의 가 시돌기 » 머리반가시근과 혼동	» T1-T6의 가시돌기 » C2의 가시돌기 » 머리반가시근과 혼동	» 양쪽 수축 : 펴기	척수신경에 근접된 뒤가지

(2) 가로돌기가시근육

가로돌기가시근육(transversospinalis muscles)은 반가시근, 뭇갈래근, 돌림근으로 이루어진다. 이 근육은 척주세움근의 깊은부위에 위치하고, 가로돌기에서 위쪽척추뼈의 가시돌기를 향하여 대각선으로 주행한다. 가로돌기가시근육은 섬유가 거의 동일한 방향으로 주행하며, 길이와 가로지르는 척추분절의 개수만 다르다. 이러한 근육은 특히 허리·머리·목부위에서 잘 발달되어 있어서, 이것들의 영역을 안정시키는 중요한 요소가 된다.

모든 가로돌기가시근육은 척주를 펴주는 기능을 한다. 더불어 이러한 근육의 섬유는 대부분 대각선으로 주행하기 때문에 수축쪽과는 반대쪽으로 돌릴 수 있는 좋은 조건이 된다. 또한 보다 수평에 가까운(보다 짧은) 근육일수록 보다 큰 수평면에서의 돌림을 발생시킨다. 예를 들어 뭇갈래근은 반가시근보다 효과적인 돌림근이다.

몸통을 돌릴 때 가로돌기가시근육은 배빗근과 함께 수축한다. 예를 들어 왼쪽으로의 돌림은 주로 오른쪽 배바깥빗근과 왼쪽 배속빗근의 수축에 의하여 일어나고, 오른쪽 가로돌기가시근육의 활동에 의하여 보강된다.

가로돌기가시근육의 다양한 부착점, 기능, 신경지배는 아래의 표와 같다.

 가로돌기사이근육

근육	아래쪽부착점	위쪽부착점	기능	신경지배
반가시근	» C4~T12의 가로돌기	» 아래쪽부착점보다도 6~8척추분절 위쪽에 위치하는 가시돌기 » 머리반가시근은 뒤통수뼈 아래목덜미선 바로 밑에 부착	» 양쪽 수축 : 펴기 » 한쪽 수축 : 수축쪽과 반대쪽으로 돌리기	척수신경에 근접된 뒤가지 (C1~T12)
뭇갈래근	» T1~T12의 가로돌기 » L1~L5의 유두돌기 » 엉치뼈	» 아래쪽부착점보다 2~4척추분절 위쪽에 위치하는 가시돌기	» 양쪽 수축 : 펴기 » 한쪽 수축 : 수축쪽과 반대쪽으로 돌리기	척수신경에 근접된 뒤가지 (C4~S3)
돌림근	» 전체 척추뼈의 가로돌기	» 아래쪽부착점보다 1~2척추분절 위쪽에 위치하는 가시돌기	» 양쪽 수축 : 펴기 » 한쪽 수축 : 수축쪽과 반대쪽으로 돌리기	척수신경에 근접된 뒤가지 (C4~L4)

03. 엉덩갈비근(장륵근)
Iliocostalis m.

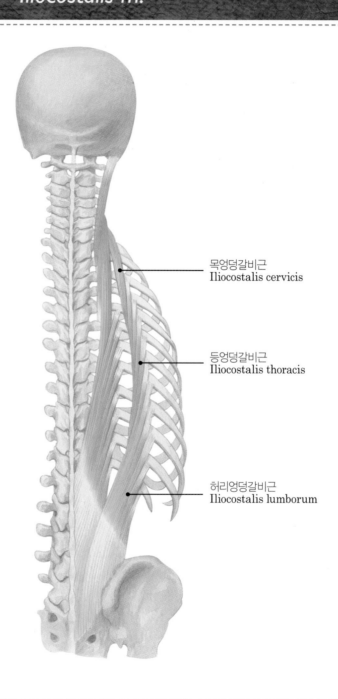

목엉덩갈비근
Iliocostalis cervicis

등엉덩갈비근
Iliocostalis thoracis

허리엉덩갈비근
Iliocostalis lumborum

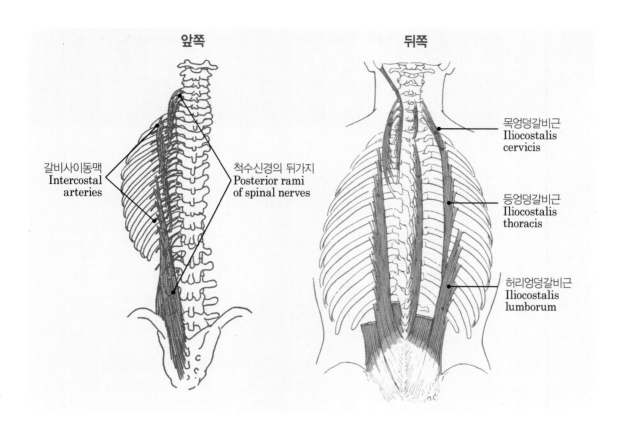

● **시작점**　허리엉덩갈비근 : 허리의 엉치가시근몸통

　　　　　등엉덩갈비근 : 아래쪽 6개 갈비뼈각에서 허리엉덩갈비근의 부착점부터 안쪽

　　　　　목엉덩갈비근 : 셋째~여섯째갈비뼈각

● **부착점**　허리엉덩갈비근 : 아래쪽 6~7개 갈비뼈각의 아래모서리

　　　　　등엉덩갈비근 : 위쪽 6개 갈비뼈각 위모서리

　　　　　목엉덩갈비근 : 넷째~여섯째목뼈가로돌기

● **신경지배**　척수신경의 뒤가지

● **기능**　척주 펴기, 가쪽굽히기, 돌리기 ; 골반의 가쪽이동

04. 가장긴근(최장근)

Longissimus m.

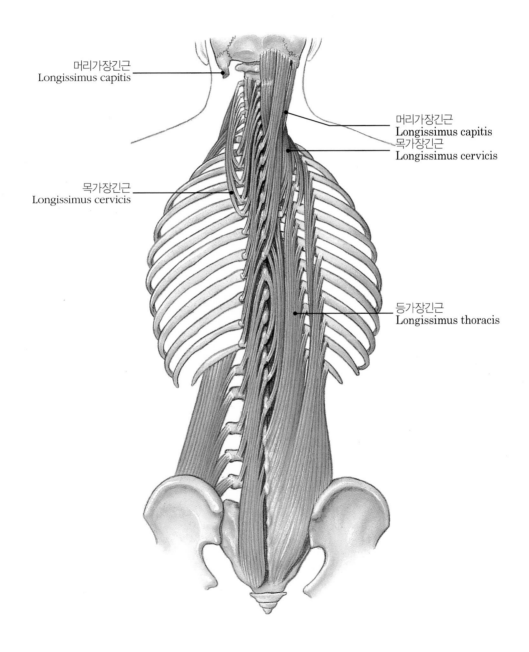

머리가장긴근
Longissimus capitis

머리가장긴근
Longissimus capitis
목가장긴근
Longissimus cervicis

목가장긴근
Longissimus cervicis

등가장긴근
Longissimus thoracis

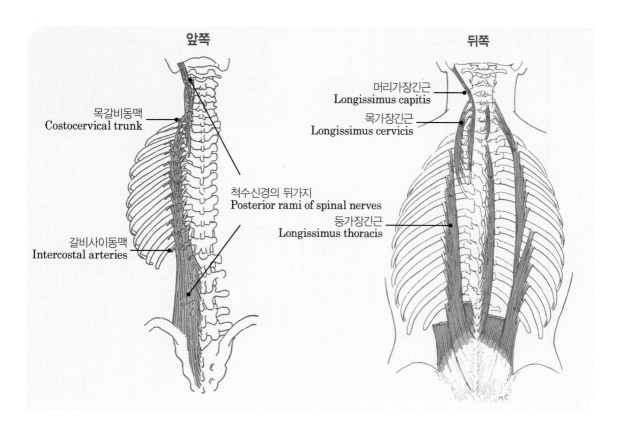

- 🔵 **시작점** 등가장긴근 : 허리뼈가로돌기, 등허리근막
  목가장긴근 : 위쪽 4~5개의 등뼈가로돌기
  머리가장긴근 : 위쪽 4~5개의 등뼈가로돌기, 아래쪽 3~4개의 목뼈관절돌기
- 🔵 **부착점** 등가장긴근 : 등뼈가로돌기, 아래쪽 9~10개의 갈비뼈갈비각에서부터 몸통쪽
  목가장긴근 : 둘째~여섯째목뼈가로돌기
  머리가장긴근 : 꼭지돌기 뒤모서리
- 🔵 **신경지배** 척수신경의 뒤가지
- 🔵 **기능** 척주 펴기, 가쪽굽히기, 돌리기 ; 골반의 가쪽이동

05. 가시근(극근)

Spinalis m.

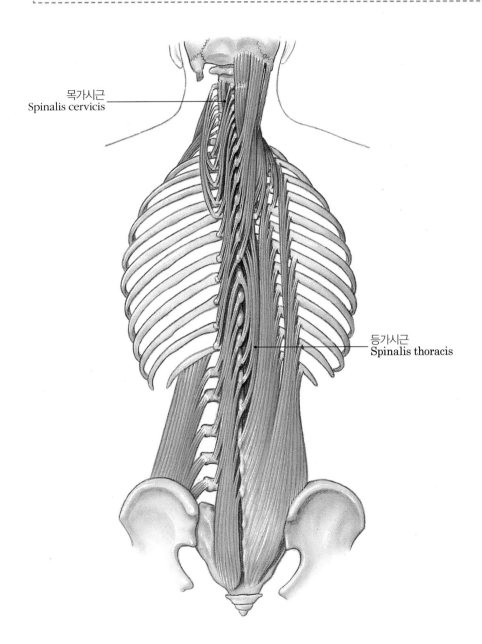

목가시근
Spinalis cervicis

등가시근
Spinalis thoracis

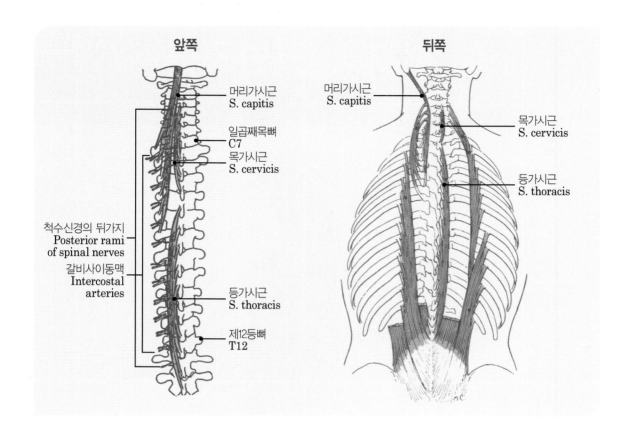

| 앞쪽 | 뒤쪽 |

- 머리가시근 S. capitis
- 일곱째목뼈 C7
- 목가시근 S. cervicis
- 척수신경의 뒤가지 Posterior rami of spinal nerves
- 갈비사이동맥 Intercostal arteries
- 등가시근 S. thoracis
- 제12등뼈 T12

- 머리가시근 S. capitis
- 목가시근 S. cervicis
- 등가시근 S. thoracis

● **시작점**　등가시근　　첫째~둘째허리뼈와 열한째~열두째등뼈의 가시돌기

　　　　　　목가시근　　첫째~둘째허리뼈와 일곱째목뼈의 가시돌기, 목덜미인대 아랫부분

　　　　　　머리가시근　위쪽 6~7개의 등뼈와 일곱째목뼈의 가시돌기, 넷째~여섯째목뼈

　　　　　　　　　　　　관절돌기

● **부착점**　등가시근　　위쪽 4~8개의 등뼈가시돌기

　　　　　　목가시근　　둘째 또는 셋째~넷째 목뼈가시돌기

　　　　　　머리가시근　위아래목덜미선 사이의 뒤통수뼈

● **신경지배**　척수신경의 뒤가지

● **기능**　척주 펴기, 가쪽굽히기, 돌리기 ; 골반의 가쪽이동

06. 반가시근(반극근)
Semispinalis m.

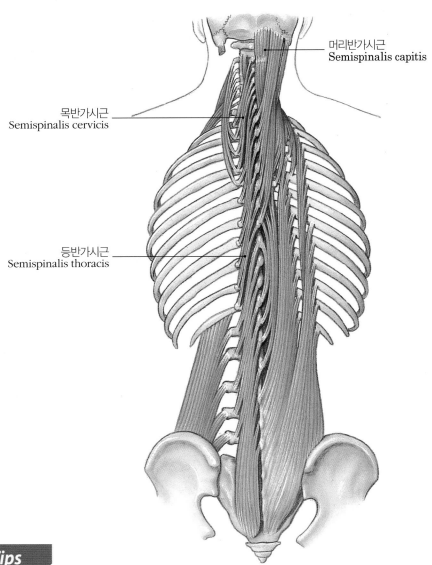

머리반가시근
Semispinalis capitis

목반가시근
Semispinalis cervicis

등반가시근
Semispinalis thoracis

Tips

- 가로돌기가시근육(가로돌기에서 시작하여 척추뼈의 가시돌기에 부착되는 근육)에 속한다. 머리를 지지하고, 머리와 척주를 젖혀주는 강한 근육이다.

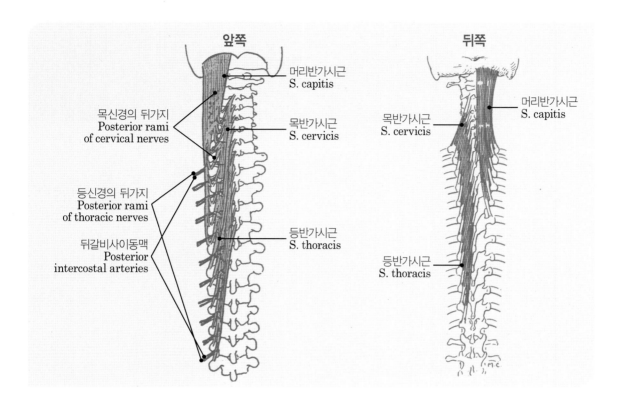

- ● **시작점**　등반가시근　아래쪽 6개의 등뼈가로돌기
　　　　　　목반가시근　위쪽 6개의 등뼈가로돌기, 아래쪽 4개의 목뼈관절돌기
　　　　　　머리반가시근 위쪽 6개의 등뼈와 일곱째목뼈의 가로돌기, 넷째~여섯째목뼈관
　　　　　　　　　　　　　절돌기
- ● **부착점**　등반가시근　처음 4개의 등뼈와 마지막 2개 목뼈의 가시돌기
　　　　　　목반가시근　둘째~다섯째목뼈가시돌기
　　　　　　머리반가시근 뒤통수뼈의 위아래목덜미선 사이의 목덜미평면
- ● **신경지배** 등반가시근　위쪽 6개 등신경의 안쪽뒤가지
　　　　　　목반가시근　아래쪽 3개 목신경의 뒤가지
　　　　　　머리반가시근 첫째~여섯째목신경
- ● **기능**　척주 펴기, 가쪽굽히기 ; 머리 · 갈비뼈 · 골반 펴기

07. 뭇갈래근(다열근)
Multifidus m.

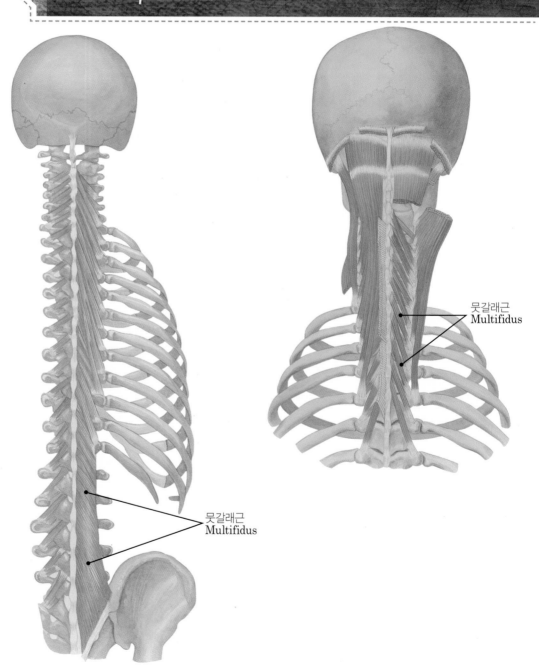

뭇갈래근
Multifidus

뭇갈래근
Multifidus

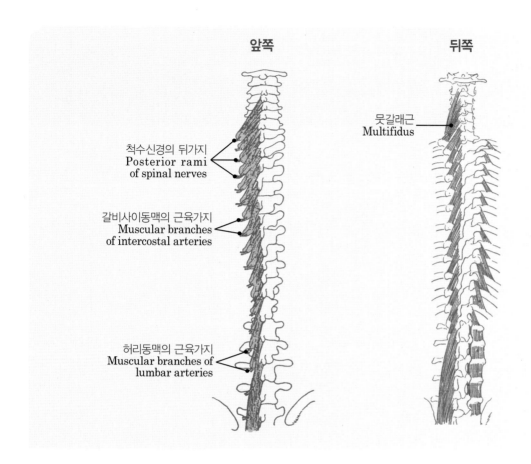

앞쪽   뒤쪽

척수신경의 뒤가지
Posterior rami
of spinal nerves

갈비사이동맥의 근육가지
Muscular branches
of intercostal arteries

허리동맥의 근육가지
Muscular branches of
lumbar arteries

뭇갈래근
Multifidus

● **시작점** 엉치뼈 등쪽면, 뒤엉치엉덩인대, 허리뼈의 꼭지돌기, 등뼈의 가로돌기, 아래쪽
4개의 목뼈관절돌기

● **부착점** 척추뼈에서 시작되는 1개 위에 있는 척주의 가시돌기

● **신경지배** 앞척수신경의 뒤가지

● **기능** 척주 펴기, 가쪽굽히기, 돌리기 보조 ; 골반 펴기와 가쪽이동

08. 돌림근(회선근)
Rotators m.

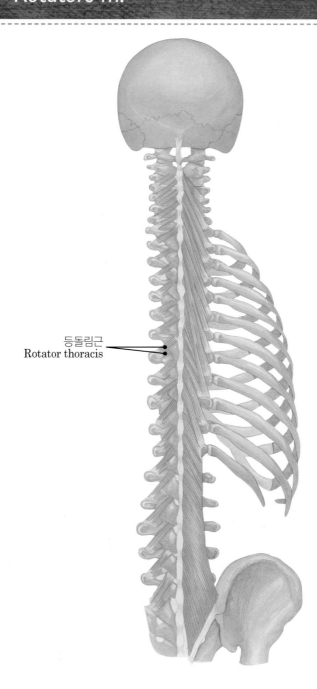

등돌림근
Rotator thoracis

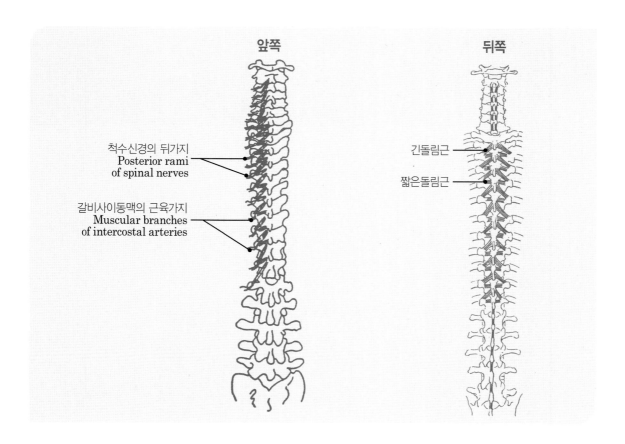

앞쪽

뒤쪽

척수신경의 뒤가지
Posterior rami
of spinal nerves

긴돌림근

짧은돌림근

갈비사이동맥의 근육가지
Muscular branches
of intercostal arteries

- ◉ **시작점** 뭇갈래근의 깊은층에 있으면서 11쌍의 작은 근육을 만든다. 각각은 1개의 등뼈 가로돌기에서 일어난다.
- ◉ **부착점** 근육이 시작되는 척추뼈 바로 위 척추뼈의 척추뼈고리판
- ◉ **신경지배** 척수신경의 뒤가지
- ◉ **기능** 척주 돌리기 보조

09. 가시사이근(극간근)

Interspinales m.

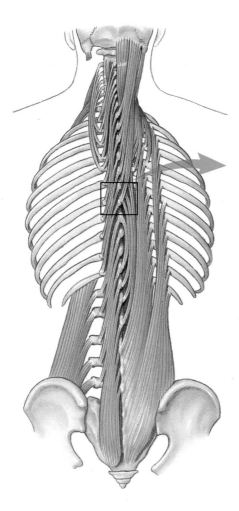

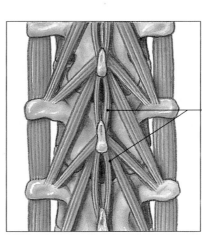

가시사이근
Interspinalis

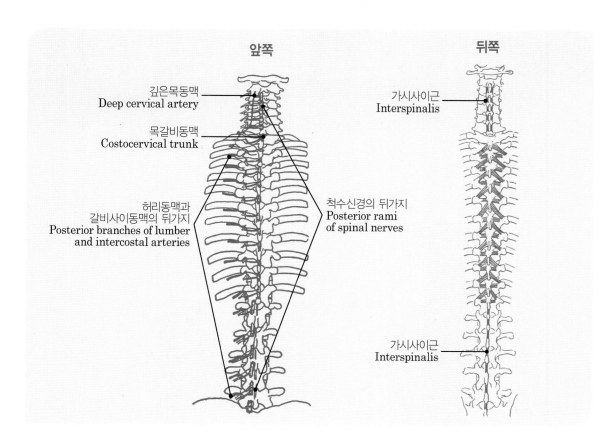

앞쪽   뒤쪽

깊은목동맥
Deep cervical artery

목갈비동맥
Costocervical trunk

허리동맥과
갈비사이동맥의
뒤가지
Posterior branches of lumber
and intercostal arteries

척수신경의 뒤가지
Posterior rami
of spinal nerves

가시사이근
Interspinalis

가시사이근
Interspinalis

● **시작점 · 부착점**   허리뼈에서 둘째목뼈까지 척추뼈가시돌기를 잇는 짧은 근육다발. 등뼈에
                                는 반드시 있는 것은 아니다. 종종 목뼈에 2중으로 있다.

● **신경지배**   척주신경의 뒤가지

● **기능**   척주 펴기 보조

10. 가로돌기사이근(횡돌기간근)
Intertransversii m.

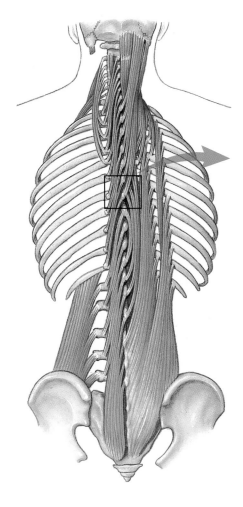

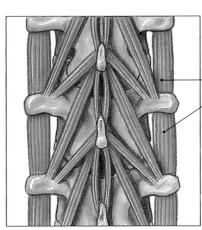

가로돌기사이근
Intertransversii m.

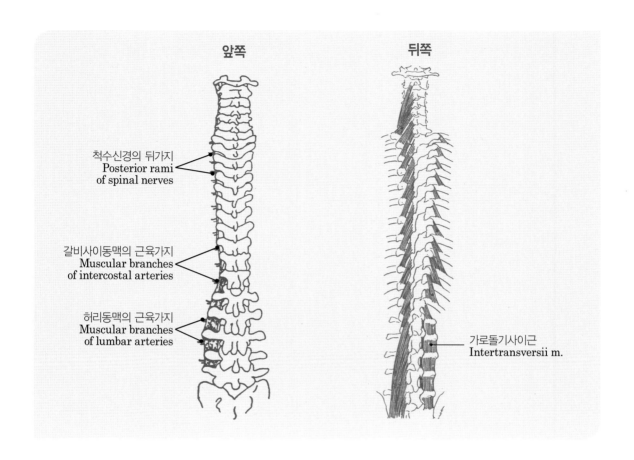

앞쪽

뒤쪽

척수신경의 뒤가지
Posterior rami
of spinal nerves

갈비사이동맥의 근육가지
Muscular branches
of intercostal arteries

허리동맥의 근육가지
Muscular branches
of lumbar arteries

가로돌기사이근
Intertransversii m.

● **시작점·부착점** 인접하는 척추뼈가로돌기 사이에 걸쳐 있는 가느다란 근육다발. 목뼈와 허리뼈에서는 확실히 보인다.

● **신경지배** 척수신경의 뒤가지, 허리뼈 및 아래쪽등뼈의 가쪽가로돌기사이근육과 목뼈의 앞뒤가로돌기사이근육은 예외이고, 척수신경 앞가지의 지배를 받는다.

● **기능** 척주 가쪽굽히기 보조

Chapter 6
가슴우리의 근육

01. 바깥갈비사이근(외늑간근)
External intercostal m.

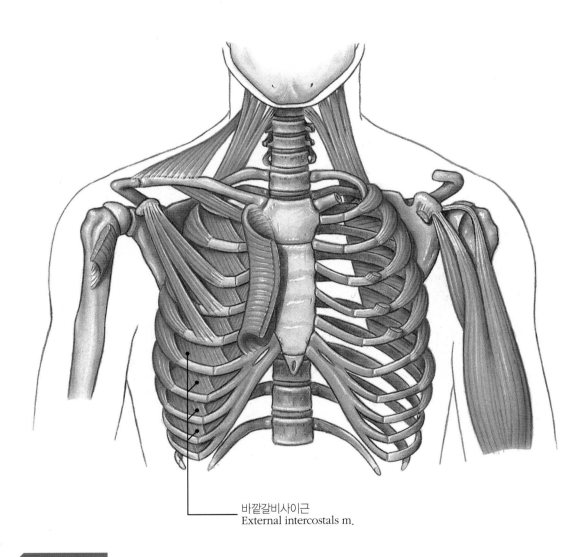

바깥갈비사이근
External intercostals m.

Tips

● 바깥갈비사이근(외늑간근)은 갈비사이공간을 채우는 가시사이근육 중에서 가장 표면에 있다.

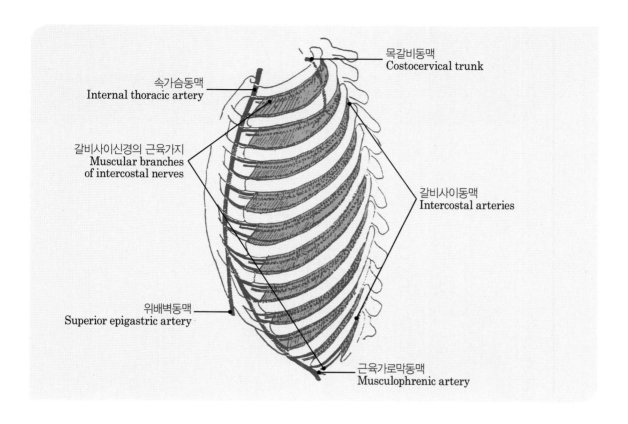

- 🔵 **시작점**   좌우 11쌍씩 있고, 각각의 근육은 갈비뼈아래모서리에서 시작된다. 위쪽은 갈비뼈결절에서 시작되고, 앞쪽은 갈비연골에 닿는다. 앞면은 복장뼈에서 이어져서 갈비사이막에서 끝난다.
- 🔵 **부착점**   시작부분인 갈비뼈 아래 갈비뼈의 위모서리
- 🔵 **신경지배**   갈비사이신경의 근육가지
- 🔵 **기능**   들숨과 날숨 시 갈비뼈사이공간을 보호한다. 들숨 시에는 갈비뼈를 들어올린다.

02. 속갈비사이근(내늑간근)
Internal intercostal m.

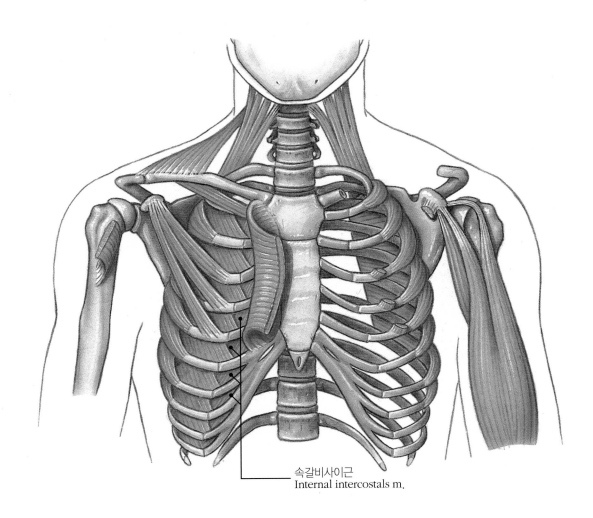

속갈비사이근
Internal intercostals m.

Tips

● 속갈비사이근(내늑간근)은 바깥갈비사이근의 깊은부위에 있으며, 근육섬유의 주행은 바깥갈비
사이근과 반대방향이다.

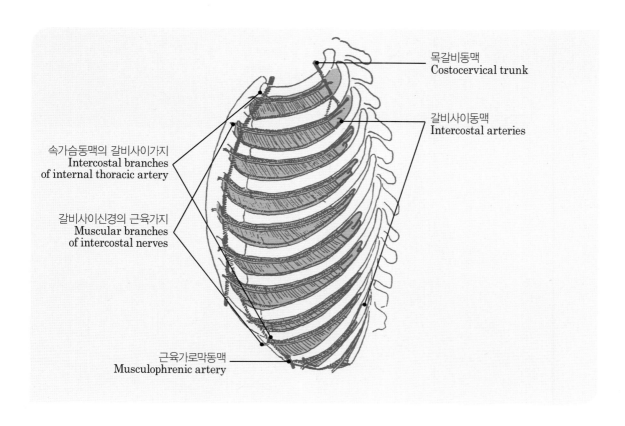

목갈비동맥
Costocervical trunk

갈비사이동맥
Intercostal arteries

속가슴동맥의 갈비사이가지
Intercostal branches
of internal thoracic artery

갈비사이신경의 근육가지
Muscular branches
of intercostal nerves

근육가로막동맥
Musculophrenic artery

- ◉ **시작점** 좌우 11쌍씩 있고, 각각의 근육은 갈비연골과 갈비뼈의 윗면에서 시작된다. 복장뼈에서 갈비뼈각에 걸쳐 있다.
- ◉ **부착점** 시작부분인 갈비뼈 위의 갈비뼈갈비연골과 갈비뼈고랑의 모서리
- ◉ **신경지배** 갈비사이신경의 근육가지
- ◉ **기능** 들숨 시와 날숨 시에 갈비뼈사이공간이 밀려나오거나 빨려들어가는 것을 막는다. 강한 날숨 시에 갈비뼈를 끌어내린다.

03. 위뒤톱니근(상후거근)

Serratus posterior superior m.

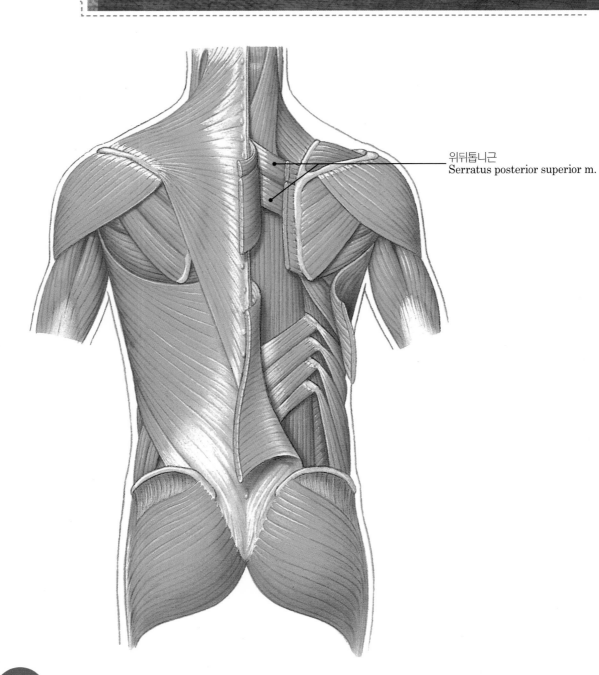

위뒤톱니근
Serratus posterior superior m.

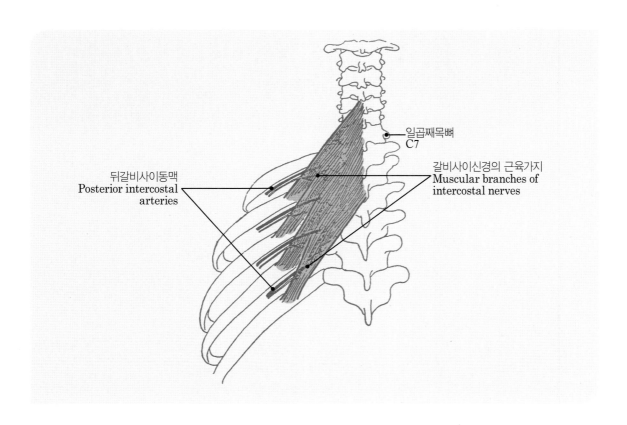

일곱째목뼈
C7

뒤갈비사이동맥
Posterior intercostal
arteries

갈비사이신경의 근육가지
Muscular branches of
intercostal nerves

- **시작점** 얄팍하고 폭이 넓은 널힘줄에 의해 목덜미인대의 아랫부분 및 일곱째목뼈와 위쪽
3~4개 등뼈가시돌기에서 시작된다.
- **부착점** 둘째~다섯째갈비뼈 위모서리에서 그것들의 각을 넘는 부분
- **신경지배** 위쪽 4개 등신경의 앞가지
- **기능** 갈비뼈 올리기 ; 들숨 보조

Tips

- 위뒤톱니근(상후거근)의 맨 위쪽에는 등세모근(승모근)이 있고, 그 바로 밑에는 마름근(능형근)
이 있다.
- 족태양방광경의 고황혈이 있다.
- 내장신경줄기(T5~T9)의 근간이 되는 근육이다.
- 등뼈(흉추)의 과도한 돌림을 저지한다.

04. 아래뒤톱니근(하후거근)
Serratus posterior inferior m.

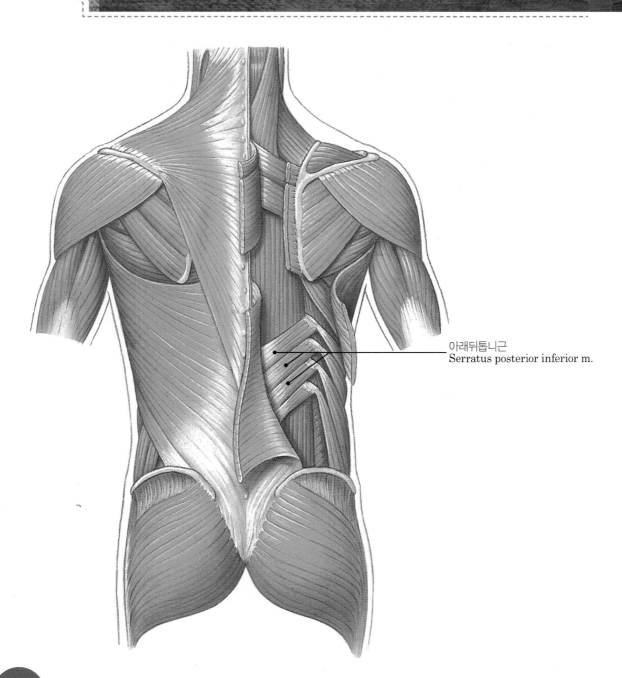

아래뒤톱니근
Serratus posterior inferior m.

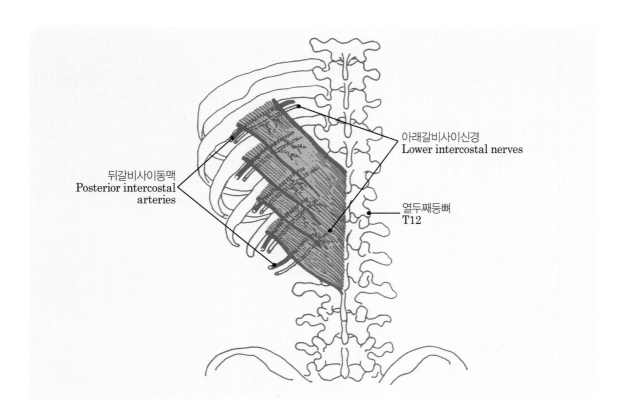

아래갈비사이신경
Lower intercostal nerves

뒤갈비사이동맥
Posterior intercostal
arteries

열두째등뼈
T12

- ⬤ **시작점**   마지막 2개의 등뼈와 처음 2개의 허리뼈가시돌기, 허리근막
- ⬤ **부착점**   아래쪽 4개의 갈비뼈아래모서리에서 그것들의 각을 넘는 부분
- ⬤ **신경지배** 아래쪽 3개의 등신경 앞가지
- ⬤ **기능**   아래쪽갈비뼈를 고정시키고, 그것들을 모두 뒤쪽으로 끌어당긴다. 날숨 시에 기능한다.

Tips

- ● 아래뒤톱니근(하후거근)은 일명 '선생님 근육'으로도 불린다. 또 허리통증의 마지막까지 나타나는 '성가신 잔여요통' 근육이라는 별명도 있다.
- ● 허리를 움직일 때에는 넓은등근(광배근)과 허리네모근(요방형근)과 협응하고, 엉덩허리근(장요근)과는 길항적이다.
- ● 허리의 과도한 돌림을 저지한다.

Chapter 7
배부위의 근육

01. 배바깥빗근(외복사근)
Obliquus externus abdominis m.

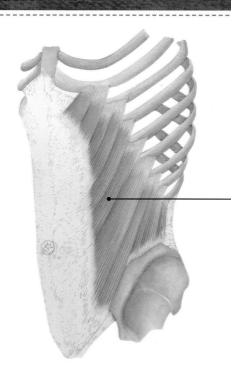

배바깥빗근
Obliquus externus abdominis m.

Tips

- 배바깥빗근은 앞톱니근(전거근)과 연결되고, 앞톱니근은 마름근(능형근)과 위쪽으로 연결되며, 아래로는 넙다리근막긴장근(대퇴근막장근)과 엉덩정강근막띠(장경인대)와 연결되어 O다리와 관련된 근육으로 표현된다. 또한 배바깥빗근은 넓은등근(광배근)과 연결되고 다리의 넙다리빗근(봉공근)과 연관되어 X다리에도 관여한다. 복부를 이루는 배속빗근(내복사근), 배곧은근(복직근), 배가로근(복횡근)과 더불어 복부의 근육을 이룬다.

- 골프, 야구 등의 격렬한 스윙 동작은 배바깥빗근의 통증을 유발할 수 있다. 또한 근육이 충분히 이완되지 않는 상태에서 몸통을 빠르게 돌리면 배빗근을 당겨 갈비뼈골절을 일으킬 수도 있다.

- 배바깥빗근이 만성적으로 긴장과 수축상태에 있으면 내장질환성 통증을 일으키기도 한다.

- 배바깥빗근 위쪽에는 위장이 있어, 압통이 발생하면 속쓰림과 명치끝에 국소적인 심부통증을 유발하여 위장병을 의심하게 하기도 한다.

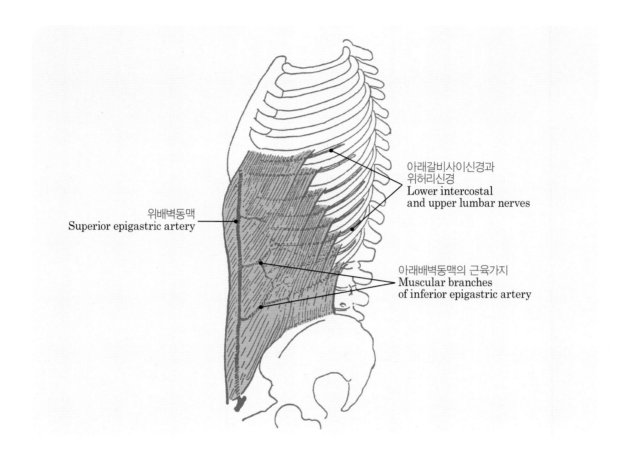

위배벽동맥
Superior epigastric artery

아래갈비사이신경과
위허리신경
Lower intercostal
and upper lumbar nerves

아래배벽동맥의 근육가지
Muscular branches
of inferior epigastric artery

● **측면부착점**   넷째~열두째갈비뼈의 측면
● **중앙부착점**   엉덩뼈능선, 백색선
● **신경지배**   갈비사이신경(T8~T12)
● **기능**   양쪽 수축 • 몸통 굽히기
                    • 골반 뒤기울이기
                    • 배속 및 가슴속압력 증대하기
                한쪽 수축 • 수축하는 쪽과는 반대쪽으로 몸통 돌리기
                    • 몸통 옆굽히기
● **해설**   배바깥빗근은 배 옆쪽면에 있는 근육 중에서 가장 크다. 이 근육의 섬유는
                아래–안쪽 방향으로 주행하여 점퍼의 앞주머니에 넣은 손가락 방향과 비슷
                하다. 배바깥빗근은 주로 몸통을 반대쪽으로 향하게 하는 돌림근으로 기능
                한다.

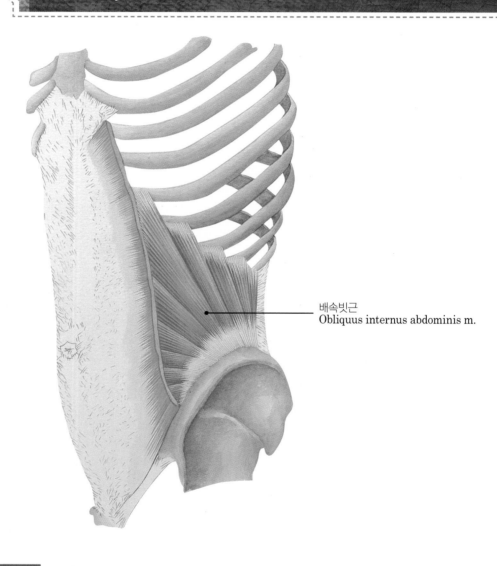

배속빗근
Obliquus internus abdominis m.

Tips

● 배속빗근의 주행은 위-안쪽방향(엉덩뼈능선/장골릉에서 복장뼈/흉골 방향)을 향하고, 배바깥
빗근과는 직각에 가까운 주행을 한다. 주요기능은 수축하는 방향으로 몸통을 돌리는 것이다.

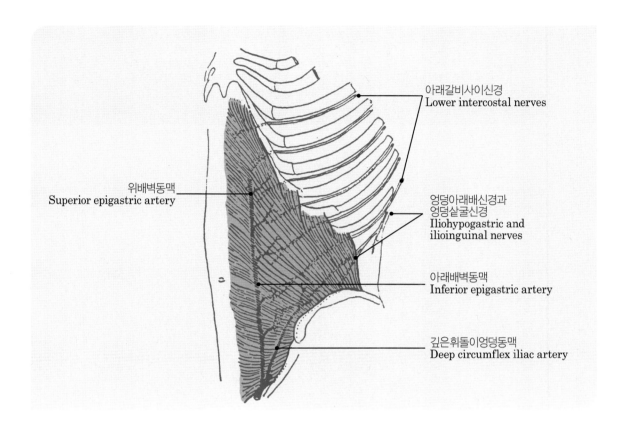

위배벽동맥
Superior epigastric artery

아래갈비사이신경
Lower intercostal nerves

엉덩아래배신경과
엉덩샅굴신경
Iliohypogastric and
ilioinguinal nerves

아래배벽동맥
Inferior epigastric artery

깊은휘돌이엉덩동맥
Deep circumflex iliac artery

◉ **측면부착점** 엉덩뼈능선, 샅고랑인대, 등허리근막

◉ **중앙부착점** 아홉째~열두째갈비뼈, 백색선

◉ **신경지배** 갈비사이신경(T8~T12)

◉ **기능** 양쪽 수축 • 몸통 굽히기
                     • 골반 뒤기울이기
                     • 배속 및 가슴속압력 증대하기
                     • 등허리근막의 긴장 증가
          한쪽 수축 • 몸통 옆굽히기
                     • 수축쪽 방향으로 몸통 돌리기

◉ **해설** 배속빗근은 배바깥빗근의 깊은층에 위치한다.

03. 배가로근(복횡근)
Transversus abdominis m.

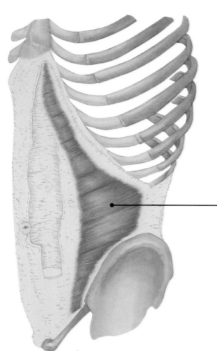

배가로근
Transversus abdominis m.

Tips

● 배가로근은 등세모근(승모근)과 연관되어 체형에 중대한 영향을 준다.

● 배가로근은 골반밑근육군, 뭇갈래근(다열근)과 더불어 인체의 체형을 잡아주는 코어(core)근육
 이다.

● 코어(core)근육은 인체의 기본 체형을 잡아주기 때문에 기본적인 체형관리 근육이다.

● 이 근육은 복압을 증가시키고 흡기와 호기를 보조하며, 외상 시에 내장을 보호하는 기능이 있다.

● 코르셋(corset)근육이라고도 부르는데, 복부 내장을 압박하여 허리를 날씬하게 만들어주고 힙
 을 위쪽으로 끌어올려주기 때문이다.

● 배가로근이 약화되면 내장의 무게를 견디지 못해 배가 앞으로 튀어나오고 중력의 영향을 받아
 아래로 처지면서 대장과 소장을 압박하여 연동운동을 방해한다. 이는 소화과정을 방해하여 내
 장의 운동력을 떨어뜨려 내장사이막(장간막)에 지방이 쌓이는 원인이 된다.

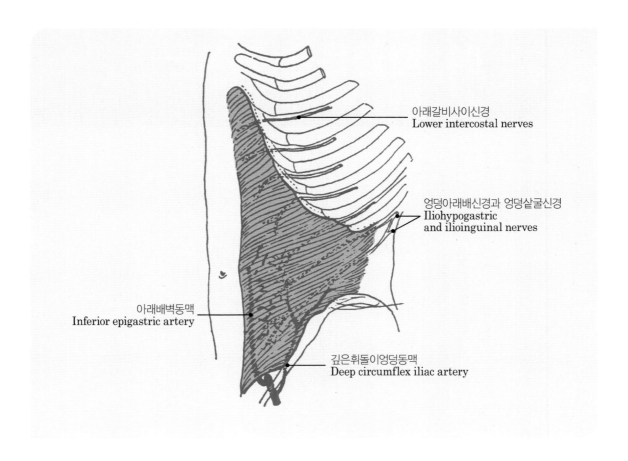

아래갈비사이신경
Lower intercostal nerves

엉덩아래배신경과 엉덩샅굴신경
Iliohypogastric
and ilioinguinal nerves

아래배벽동맥
Inferior epigastric artery

깊은휘돌이엉덩동맥
Deep circumflex iliac artery

🔵 **측면부착점**	엉덩뼈능선, 등허리근막, 여섯째~열두째갈비연골, 샅고랑인대
🔵 **중앙부착점**	백색선
🔵 **신경지배**	갈비사이신경(T7–T12)
🔵 **기능**	• 배속압력 증대 • 등허리근막의 긴장 증가
🔵 **해설**	배가로근은 배부위에 있는 근육 중에서 가장 깊은층에 위치하는 근육이다. 이 근육은 코르셋근육(corset muscle)으로도 알려져 있으며, 주요기능으로는 배속압력의 증대를 들 수 있다. 배속빗근과 마찬가지로 근육수축에 의하여 등허리근막을 끌어당긴다. 그 결과 등허리근막의 긴장을 높이고, 짐을 들어올릴 때 허리의 안정을 지지한다.

04. 배곧은근(복직근)
Rectus abdominis m.

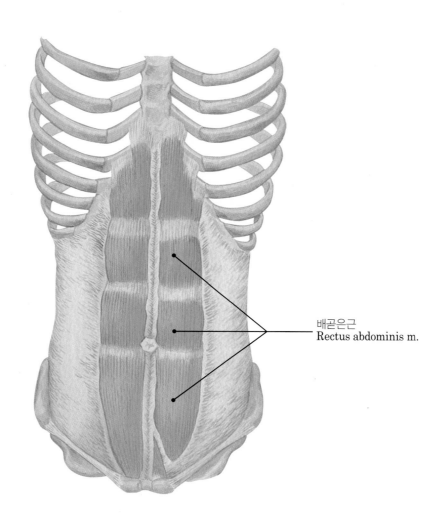

배곧은근
Rectus abdominis m.

Tips

● 이 근육은 가로로 주행하는 강인한 결합조직으로, 좌우의 배근육군섬유를 연결시킨다. 또한 3개의 나눔힘줄이 배곧은근 위를 가로지른다. 이것에 의하여 배부위에 물결무늬모양이 생긴다.

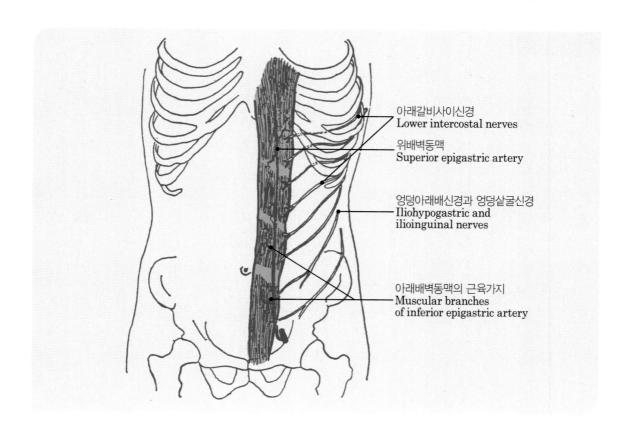

아래갈비사이신경
Lower intercostal nerves

위배벽동맥
Superior epigastric artery

엉덩아래배신경과 엉덩샅굴신경
Iliohypogastric and
ilioinguinal nerves

아래배벽동맥의 근육가지
Muscular branches
of inferior epigastric artery

● **아래쪽부착점** 두덩뼈능선

● **위쪽부착점** 칼돌기, 다섯째~일곱째갈비연골

● **신경지배** 갈비사이신경(T7~T12)

● **기능**
  • 몸통 굽히기
  • 골반 뒤기울이기
  • 배속 또는 가슴속압력 증대

● **해설** 배곧은근은 백색선이라는 힘줄집에 의하여 좌우로 분리된다.

Tips

- 배곧은근은 가슴성형 시 사용되는 근육이다.
- 복부 전반에 긴장을 주어 척주굽힘근의 움직임에 영향을 주며, 가슴우리를 아래로 당기고 골반은 위로 당겨 척추의 굽힘근으로 작용한다.
- 배곧은근은 내장을 보호하며 호흡작용을 돕고, 척추의 굽힘과 배의 압력을 조정한다. 약하면 허리의 통증을 유발할 수 있다.
- 배곧은근이 긴장되면 압통으로 장기에 영향을 주어 내장질환을 유발할 수도 있다.
- 전신혈액순환 및 신진대사와 관련이 있으므로 전신 마사지 시에 기본적으로 배 부위를 만질 때에는 제일 먼저 이 근육의 에너지부터 느끼고 시작해야 한다.
- 미용 관점에서 배근육이 약화되면 배가 나오고 골반이 앞으로 전위되어 보기 싫은 모습이 된다. 따라서 복부강화운동은 미의 관점에서도 중요하다.
- 임신 시에 위·좌·우로 늘어난 배곧은근이 원래상태로 돌아오지 못하면 '복직근이개증'이 되어버린다.

배근육의 운동

1. 윗몸일으키기

엉덩허리근(과 기타 모든 엉덩관절의 굽힘근군) 및 배근육(배곧은근, 배속빗근, 배바깥빗근, 배가로근 등의 배근육군)은 기본적으로 배근육운동(즉 윗몸일으키기)을 수행할 때 함께 활동한다. 이 운동은 배근육을 강화하기 위한 운동으로 인식되어 있는데, 이 운동 자체는 침대에서 일어나는 것과 같이 일상 속에서 빈번하게 일어나는 기본적인 활동이다.

몸통을 굽힐 때에는 배근육(특히 배곧은근)의 강한 수축이 관찰되며, 복장뼈칼돌기와 두덩뼈 사이의 거리를 좁히고, 허리뼈앞굽이의 커브가 편평해진다. 이 초기의 모습은 시작에서부터 양쪽의 어깨뼈가 접지면에서 떨어질 때까지의 기간이다. 배근육은 배근육운동을 할 때 항상 활동한다. 그러나 엉덩관절을 굽힐 때에는 엉덩관절굽힘근(엉덩허리근이나 넙다리곧은근 등 엉덩관절의 굽힘근)이 강하게 수축한다. 이때에는 엉덩관절의 굽힘근이 골반을 일으키고(돌리고), 골반의 움직임에 부수되어 몸통이 앞쪽을 향하고 가슴이 무릎에 가까워진다.

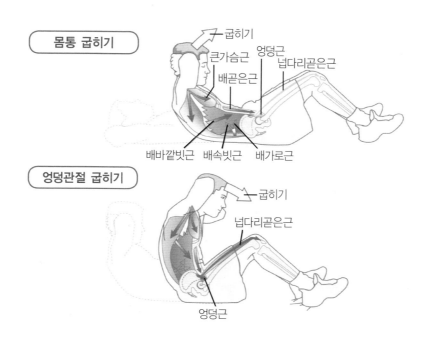

2. 배빗근의 협동기능

3개의 면(이마면, 시상면, 수평면)이 모두 포함된 몸통의 운동을 수행하기 위하여 배부위의 근육은 다양한 방법으로 수축한다. 대각선쪽으로 일어나려고 할 때의 근육움직임을 생각해보자. 왼쪽으로 돌리기에 동반된 몸통 굽히기는 오른쪽 배바깥빗근과 왼쪽 배속빗근의 수축에 의하여 조절된다.

또, 옆으로 누운 자세에서 옆으로 일어날 때와 같이 몸통을 옆으로 굽히는 운동과 비교해보자. 이 움직임은 같은 쪽의 배바깥빗근과 배속빗근의 수축에 의하여 조절될 것이다. 예를 들어 옆으로 누운 자세에서 왼쪽으로 굽히려면 왼쪽 배바깥빗근과 왼쪽 배속빗근을 수축해야 한다. 옆굽히기를 할 때와 돌릴 때에는 등부위의 근육이 보조한다.

05. 배세모근(추체근)
Pyramidal m.

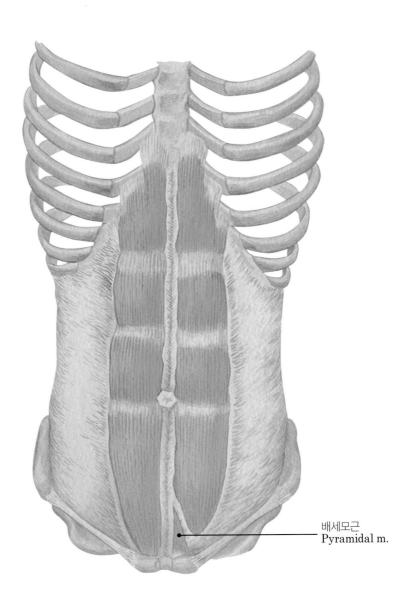

배세모근
Pyramidal m.

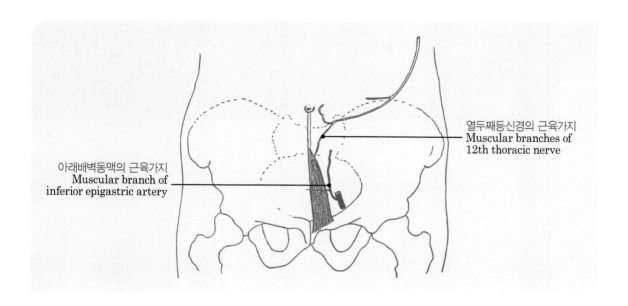

아래배벽동맥의 근육가지
Muscular branch of
inferior epigastric artery

열두째등신경의 근육가지
Muscular branches of
12th thoracic nerve

- 🔵 **시작점** 두덩뼈와 두덩인대의 앞면
- 🔵 **부착점** 배꼽과 두덩뼈 사이의 백색선
- 🔵 **신경지배** 갈비밑신경의 근육가지(열두째등신경)
- 🔵 **기능** 배부위 압축, 배속내장 보호 ; 강한 날숨 시에 기능한다.

06. 허리네모근(요방형근)
Quadratus lumborum m.

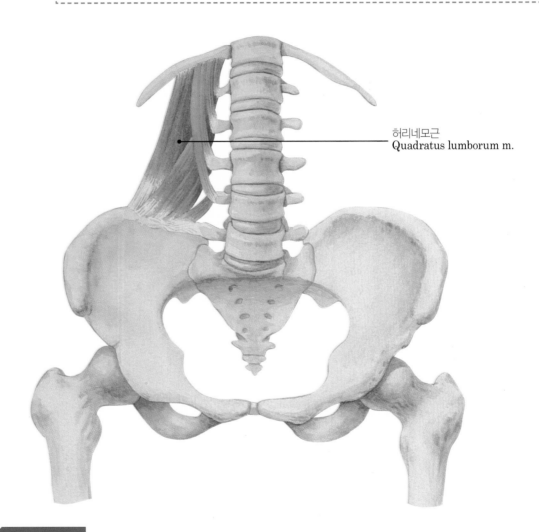

허리네모근
Quadratus lumborum m.

Tips

● 골반을 끼고 엉덩관절(고관절)을 위로 올려주는 근육으로 '엉덩관절올림근'이라고도 한다. 허리뼈 안쪽의 등허리근막(요배근막) 앞에 있는 직사각형의 근육이다.

● 바닥에 앉은 상태에서 옆으로 굽혀 물건을 주워들거나 할 때 사용된다.

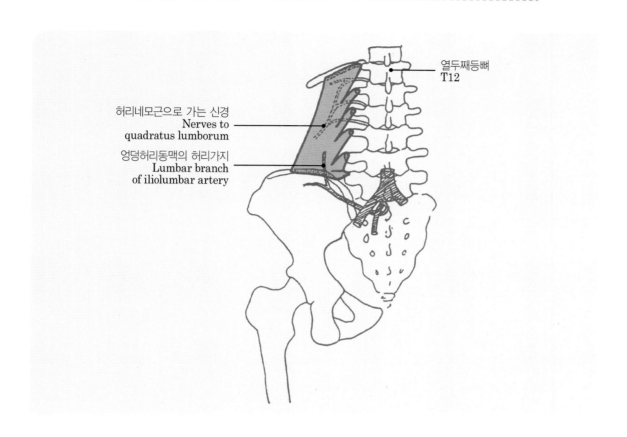

허리네모근으로 가는 신경
Nerves to
quadratus lumborum

엉덩허리동맥의 허리가지
Lumbar branch
of iliolumbar artery

열두째등뼈
T12

◯ **아래쪽부착점** 엉덩뼈능선

◯ **위쪽부착점** L1~L4의 가로돌기, 열두째갈비뼈

◯ **신경지배** 앞가지(T12~L3)

◯ **기능** 양쪽 수축 : 허리뼈 펴기

  한쪽 수축 : 몸통 옆굽히기

◯ **해설** 임상적으로 허리네모근의 운동은 '엉덩이 치켜들기(hip hiker)'로 알려져 있으며, 한쪽이 수축할 때에는 수축하는 쪽의 골반을 들어올린다. 엉덩관절굽힘근의 근력이 저하 또는 마비된 환자에게는 허리네모근을 수축시켜 한쪽 골반을 위쪽으로 올리도록 지도한다. 보행 시에 발을 앞으로 전진시키기 위해서는 이 허리네모근의 기능을 이용하여 발을 지면에서 들어올린다.

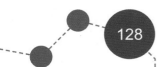

Tips

- 허리네모근은 척추·갈비뼈·골반에 붙어 있는 근육으로 허리통증을 일으키는 중추적인 역할을 하며, 통증을 일으켜 돌아눕지 못하게 한다.
- 바지 한쪽이 끌릴 때에는 이 근육부터 확인해야 한다.
- 몸통을 펴는 근육 : 허리네모근(요방형근), 척주세움근(척주기립근), 넓은등근(광배근)
- 몸통을 가쪽으로 굽히는 근육 : 허리네모근(요방형근), 같은 쪽의 척주세움근(척주기립근), 배 빗근(복사근)
- 허리를 45도 이상 숙이면 우리 몸의 척주세움근은 허리를 지탱하지 못하고, 그 이상의 각도로 움직일 때에는 척주 주변과 근육과 인대들이 버티어준다. 그러나 일정 각도를 벗어나면 인대 들이 상해를 입는다.
- 일반적으로 허리네모근(요방형근)·아래뒤톱니근(하후거근)·중간볼기근(중둔근)과 척주 부위의 근육들이 허리 통증을 일으키는 주요인이다. 그리고 이차성 요통근육이 중간볼기근이다.
- 허리뼈를 안정시키는 구조로 작용한다.
- 허리뼈의 가쪽굽힘과 만곡을 기능적으로 조정해준다.
- 엉덩이(hip)를 올리는 근육이며, 허리뼈의 가쪽굽힘근육이다.
- 강력한 허리뼈의 폄근육이며, 기침 시 호흡근육이다.
- 일차적 길항은 반대쪽 허리네모근이고, 두 번째가 엉덩허리근이다.
- 허리네모근의 문제 확인 포인트
  ① 허리통증이 심해 주변 사람이 도와주려하면 두려워한다.
  ② 기침을 할 때 통증이 심해진다.
  ③ 어떤 자세에서든 지속적인 허리통증을 호소한다.
  ④ 수면을 방해하는 근육은 허리네모근과 가시아래근(극하근)이다.
  ⑤ 누워서 옆으로 몸을 돌려 눕지 못한다.

Chapter 8
척주와 몸통을 연결시키는 근육

01. 등세모근(승모근)
Trapezius m.

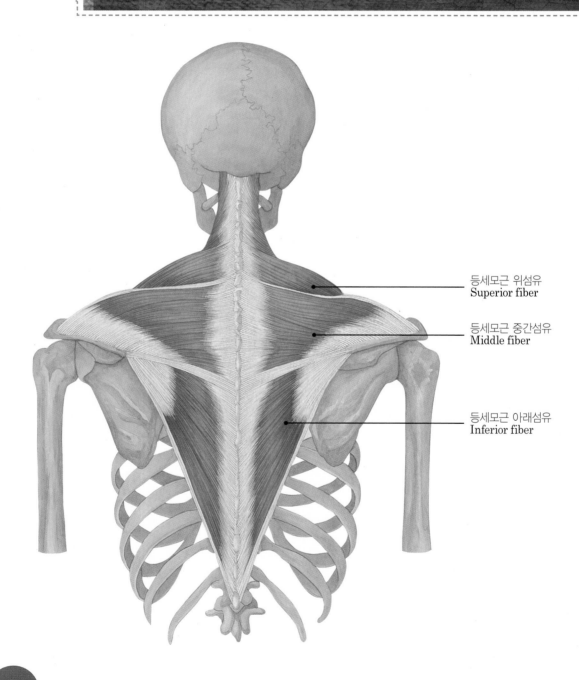

등세모근 위섬유
Superior fiber

등세모근 중간섬유
Middle fiber

등세모근 아래섬유
Inferior fiber

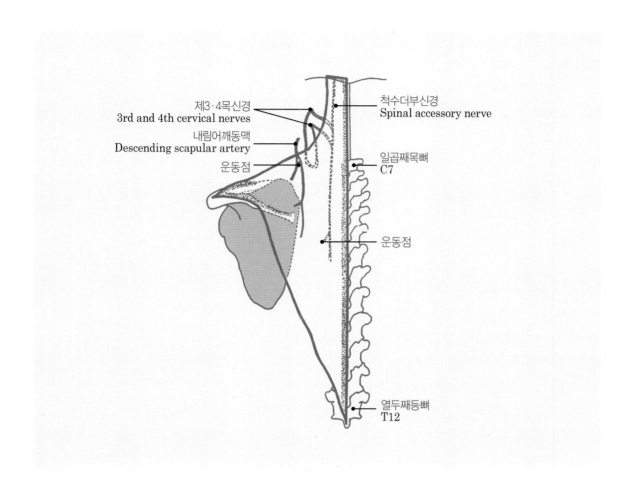

등세모근(trapezius m.) 위섬유

● **시작점**   바깥뒤통수뼈융기, (목뼈의)목덜미인대, 위목덜미선의 안쪽부분

● **부착점**   빗장뼈 가쪽 1/3의 뒤윗부분

● **신경지배**   척수더부신경(열한째뇌신경)

● **기능**   • 어깨 올리기

              • 어깨 위쪽돌리기(앞톱니근, 등세모근 아래섬유와 함께)

● **해설**   등세모근 위섬유의 주요 운동의 하나는 어깨 올리기이며, 어깨를 위쪽으로 돌리는 짝힘으로서도 중요한 역할을 한다. 또한 등세모근 위섬유는 어깨뼈와 갈비뼈를 고정시킴과 동시에 목뼈의 옆굽히기와 대칭되는 회전을 한다.

등세모근(trapezius m.) 중간섬유

- ⬤ **시작점**   목덜미인대와 일곱째목뼈~다섯째등뼈의 가시돌기
- ⬤ **부착점**   봉우리의 중앙부
- ⬤ **신경지배** 척수더부신경(열한째뇌신경)
- ⬤ **기능**   어깨 뒤당기기
- ⬤ **해설**   등세모근 중간섬유는 어깨의 뒤당김을 일으킴과 동시에 어깨를 앞쪽으로 돌출시키는 강력한 앞톱니근 등의 다른 어깨가슴우리에 있는 관절 주위 근육에 의하여 발생하는 강력한 힘에 대항함으로써 어깨의 안정에 가장 중요한 역할을 담당하고 있다.

등세모근(trapezius m.) 아래섬유

- ⬤ **시작점**   중간부분과 아래등뼈의 가시돌기(여섯째~열두째등뼈)
- ⬤ **부착점**   안쪽모서리에 가까운 어깨뼈가시 위쪽모서리
- ⬤ **신경지배** 척수더부신경(열한째뇌신경)
- ⬤ **기능**   • 어깨 내리기와 뒤당기기
               • 어깨 위쪽돌리기(앞톱니근, 등세모근 위섬유와 함께)
- ⬤ **해설**   등세모근 아래섬유는 세 가지 등세모근섬유 중에서 가장 큰 근육이다. 어깨를 내리는 주요근육임과 동시에 어깨의 위쪽돌리기와 뒤당기기를 할 때에도 꼭 필요하다.

Tips

- ● 등세모근은 인간에게 가장 많은 영향을 준다.
- ● 면역력과 연관되고, 추위에 민감한 근육이다.
- ● 오른쪽 등세모근은 간과 연관되어 피로의 표현이고, 왼쪽 등세모근은 스트레스와 연관되어 심장·위장과 관련된다.
- ● 자세불량을 일으키는 대표적인 근육으로 옷걸이근육이라고도 한다.
- ● 등세모근은 장딴지근(비목근)·가자미근과 연결되어 있어서 함께 치료하는 것이 좋다.
- ● 해부학적으로 사용하지 않아도 피로감이 생기는 근육이며, 체중의 3분의 1인 팔부위를 지지하는 근육이다.
- ● 빗장뼈의 불균형에 가장 많은 영향을 미치는 근육이고, 가슴의 불균형에도 영향을 준다.

Tips

등세모근은 위팔뼈머리를 덮고 있는 삼각형의 근육. 위섬유(빗장뼈부위), 중간섬유(봉우리부위), 아래섬유(어깨뼈가시)의 3부분으로 나누어진다.

등세모근 위섬유
● 팔부위의 통증관리 시 우선적으로 관리해야 할 근육이다.
● 뒤통수(후두)통증과 편두통에도 원인을 제공한다.
● 목에 이상이 생기면 등세모근의 부착부위를 관리해주어야 한다.
● 목뼈를 돌릴 때 불편하면 등세모근 위섬유부위를 관리해주어야 한다.
● 뇌로 올라가는 척추동맥이 목뼈 가로돌기사이구멍에 있으므로 고혈압 등 순환계통질환이 목부위에 나타날 때에는 이 부위를 잘 관리해야 한다.
● 등세모근은 관리의 시작이다. 왼쪽은 스트레스, 오른쪽은 피로!
● 가슴이 큰 여성은 브래지어의 장력이 등세모근 위섬유를 압박하여 통증을 유발한다. 오래 서 있을 때면 주머니에 손을 넣고 있으면 등세모근 위섬유의 긴장을 막을 수 있다.

등세모근 중간섬유
● 어깨를 모으고 돌리기를 보조하며, 어깨의 굽히기와 벌리기를 보조하는 근육이다.

등세모근 아래섬유
● 어깨 돌리기와 뒤쪽으로 끌어당기기, 위팔 굽히기와 벌리기를 보조하는 근육이다.

02. 넓은등근(광배근)
Latissimus dorsi m.

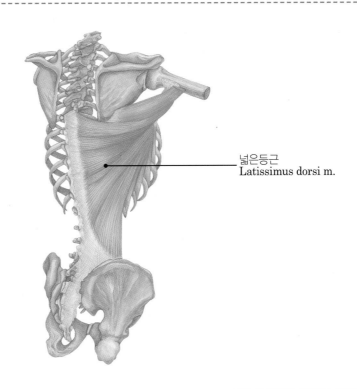

넓은등근
Latissimus dorsi m.

Tips

- 사람의 근육 중 가장 면적이 넓으며, 다이나믹한 스포츠동작을 할 때 매우 중요한 역할을 하는 근육이다. '손을 뒤로 돌리는 근육' 또는 '기침근육'이라고도 한다.
- 등이 V자 모양이 되는 수영선수의 등근육이 대표적이다.
- 넓은등근은 위팔에서 꼬리뼈까지 연결된 큰 근육으로 등의 대부분을 차지하고 있으며, 근력이 약화되면 새우등(kyhosis, 척주뒤굽음)이 나타난다.
- 척주를 지지하는 것은 물론 어깨의 질환에까지 영향을 주면서 등세모근 위섬유와 어깨올림근에까지 영향을 주어 통증을 일으키며, 허리통증에도 일조한다.
- 이 근육이 강력한 힘으로 수축이 반복되면 어깨관절아탈구를 일으키며, 경직 시에는 어깨의 가동범위를 제한시켜 굳은어깨(오십견)를 일으킨다.
- 림프절에 영향을 줄 수 있으므로 주의해서 관리해야 한다.

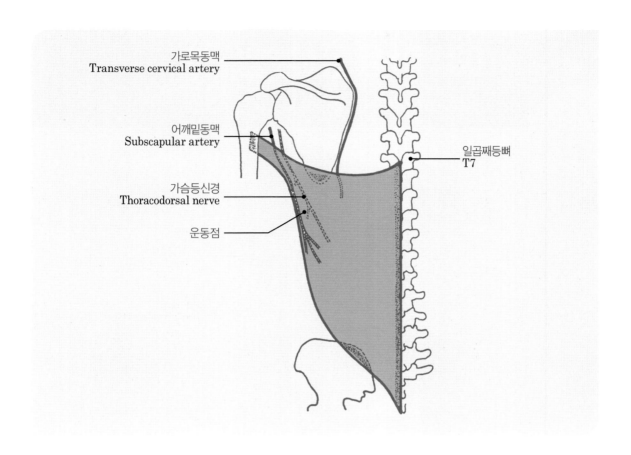

● **시작점** 등허리근막, 가슴우리 아랫부분의 가시돌기, 모든 허리뼈, 엉덩뼈능선의 뒷면, 아래에서 네번째갈비뼈, 어깨뼈의 아래모서리

● **부착점** 위팔뼈의 작은결절

● **신경지배** 가슴등신경(중간의 어깨밑신경)

● **기능**
  • 어깨 모으기
  • 어깨 펴기
  • 어깨 안쪽돌리기
  • 어깨 내리기

● **해설** 넓은등근은 위팔뼈와 어깨뼈에 부착점을 가지고 있어 이 근육 때문에 어깨를 모으고 펼 때 운동역학적인 조정이 가능하다. 위팔을 모으고 펴는 복합운동 및 어깨의 아래쪽돌리기는 보트의 노를 젓는 동작이나 팔을 넓게 벌리고 턱걸이를 하는 것과 같은 복합적인 당기는 운동을 가능하게 한다.

03. 마름근(능형근)

Rhomboid m.

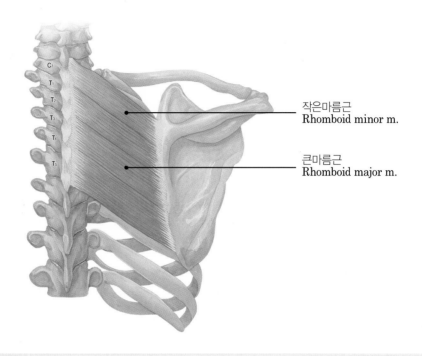

작은마름근
Rhomboid minor m.

큰마름근
Rhomboid major m.

Tips

- 등세모근이 덮고 있는 얇은 마름모꼴의 근육으로, 등뼈가 시작점인 근육은 큰마름근(대능형근)이고 목뼈가 시작점인 근육은 작은마름근(소능형근)이다.
- 창문을 양손으로 밀어 여는 동작을 할 때 마름근이 척추방향으로 어깨를 살짝 들어올리며 당겨준다.
- 큰가슴근(대흉근)과 길항 관계를 이루며 피로해지기 쉽다.
- 몸이 앞으로 숙인 채 생활하는 습관을 가진 사람은 등이 넓어지고 어깨가 안으로 둥그렇게 되는 라운드숄더(round shoulder, 둥근어깨)를 만들게 된다.
- 마름근의 신경은 C5에서 나와 목갈비근(사각근)을 경유하므로 목갈비근이 긴장하면 근기능 저하와 함께 신경성 질환이 나타난다.
- 목에 나타나는 변형성 질환인 거북목증후군(forward head posture, 목을 앞으로 뺀 자세) 등은 관리가 필요한 질환이다.

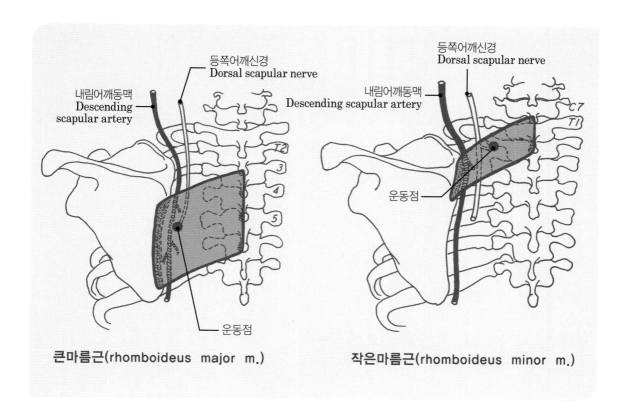

큰마름근(rhomboideus major m.)   작은마름근(rhomboideus minor m.)

큰·작은마름근은 통상적으로 하나의 근육으로 분류된다.

◉ **시작점** 목덜미인대와 일곱째목뼈~다섯째등뼈의 가시돌기

◉ **부착점** 어깨뼈가시 바닥부터 어깨뼈 아래모서리까지의 어깨뼈 안쪽모서리

◉ **신경지배** 등쪽어깨신경

◉ **기능** • 어깨 뒤당기기
　　　　　　 • 어깨 올리기
　　　　　　 • 어깨 아래쪽돌리기

◉ **해설** 마름근은 평평하고 폭이 넓어 어깨뼈의 안쪽모서리를 견고하게 뒤덮고 있다.
　　　　　 어깨를 뒤로 당겨서 안정시키는 기능이 있는 등세모근 중간섬유와 함께 활동하
　　　　　 여 어깨의 불필요한 활동을 제한한다. 마름근은 위팔을 접는 운동을 할 때 활
　　　　　 동한다.

04. 어깨올림근(견갑거근)

Levator scapulae m.

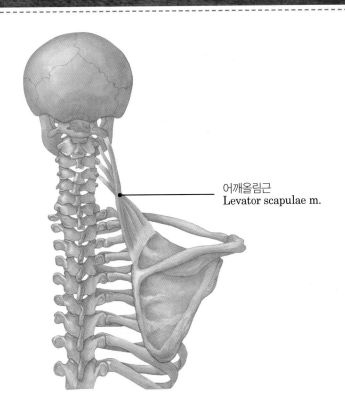

어깨올림근
Levator scapulae m.

Tips

● 일명 '으쓱으쓱근육'으로 목 옆쪽에 있으면서 등세모근과 함께 움직이는 이른바 '어깨결림'을 일으키는 근육으로, 잠을 잘못 잤을 때 통증을 일으킨다.

● 마름근(능형근)과 더불어 등쪽어깨신경(견갑배신경)이 지배한다(C5).

● 어깨올림근(견갑거근)의 긴장으로 인한 주증상은 목근육의 수축으로 사경(기운목)과 목주변 근육의 경직이 올 수 있다.

● 목을 뒤쪽으로 돌리기 힘들어 몸 전체를 돌려 뒤쪽을 향하는 동작을 하게 되며, 자신도 모르게 아픈 어깨에 손을 올려 주무르는데, 이곳이 바로 어깨올림근의 통점이다.

● 옆으로 자는 습관과 반복적인 기침, 또는 전화기를 목과 귀로 지탱한 채 통화하는 습관을 가진 사람에게서 문제가 자주 발견된다.

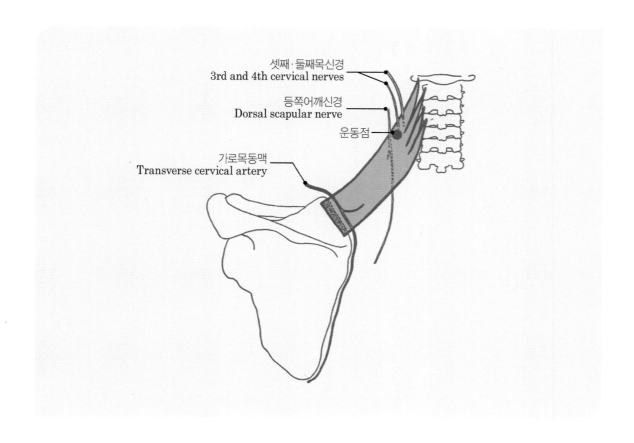

- 셋째·둘째목신경
  3rd and 4th cervical nerves
- 등쪽어깨신경
  Dorsal scapular nerve
- 운동점
- 가로목동맥
  Transverse cervical artery

◉ **시작점**　첫째~넷째목뼈의 가로돌기

◉ **부착점**　위모서리와 어깨뼈가시 바닥 사이의 어깨뼈 안쪽모서리

◉ **신경지배**　등쪽어깨신경(셋째~다섯째목뼈의 척수신경)

◉ **기능**　• 어깨 올리기
　　　　　• 어깨 아래쪽돌리기

◉ **해설**　어깨올림근은 어깨뼈 위모서리 윗부분과 중간부분에서 촉진이 가능하다. 또한
　　　　자세가 좋지 않거나 구부정하면 근육의 과긴장상태가 지속되어 통증이 발생하
　　　　는데, 이러한 근육에는 통증유발점(trigger point)이 존재한다.

Chapter 9
팔을 가슴벽에 연결시키는 근육

01. 큰가슴근(대흉근) Pectoralis major m.
02. 작은가슴근(소흉근) Pectoralis minor m.
03. 빗장밑근(쇄골하근) Subclavius m.
04. 앞톱니근(전거근) Serratus anterior m.

01. 큰가슴근(대흉근)
Pectoralis major m.

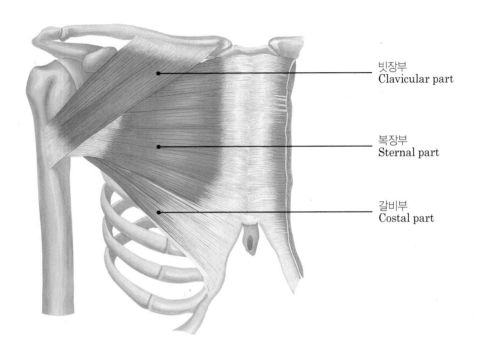

빗장부
Clavicular part

복장부
Sternal part

갈비부
Costal part

Tips

- 가슴 표면에 있는 부채모양의 큰 근육으로, 힘살은 시작점의 위치에 따라 3부분으로 나누어진다. '가슴판'을 형성하고 있다.
- 복장가지, 빗장가지, 갈비가지의 세 방향으로 관리해야 한다.
- 호흡근의 작용이 큰 근육이며, 빗장뼈의 틀어짐에 관여한다.
- 복장가지는 큰가슴근의 긴장성 단축의 원인인 새가슴을 만들고, 큰가슴근과 길항작용을 하는 마름근(능형근)·중간등세모근(중승모근)·어깨뼈 주위의 근육에 이완성 긴장을 초래하여 라운드숄더를 만든다.
- 갈비가지의 긴장은 갈비갈래와 복장가지를 단축시켜 아래부분의 갈비뼈를 위로 올려 가로막 운동에 장애를 만들어 반복적인 호흡을 하게 함으로써 호흡기능을 전반적으로 저하시킨다.

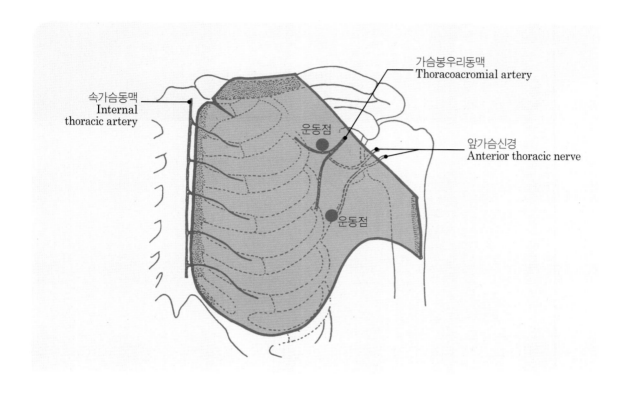

- **시작점** 빗장뼈머리 빗장뼈의 안쪽부분 앞모서리

  복장뼈머리 복장뼈자루 복장뼈몸통 및 첫째갈비연골부터 여섯째 · 일곱째갈비
  연골의 가쪽모서리

- **부착점** 위팔뼈의 큰결절능선

- **신경지배** 빗장뼈머리 가쪽가슴근신경

  복장뼈머리 안쪽 · 가쪽가슴근신경

- **기능** 빗장뼈머리 어깨 안쪽돌리기/어깨 굽히기/어깨 수평모으기

  복장뼈머리 어깨 안쪽돌리기/어깨 모으기와 펴기/어깨 내리기(위팔뼈의 부착
  점을 통하여)/어깨 수평모으기

- **해설** 큰가슴근의 빗장뼈머리는 굽히기, 안쪽돌리기, 수평모으기를 하는 어깨세모근
  앞쪽섬유와 같은 작용을 한다. 복장뼈머리는 팔굽혀펴기, 벤치프레스에서 밀어
  올리기, 무거운 문을 당겨서 열기 등과 같이 밀거나 당기는 운동을 수행한다.
  큰가슴근의 복장뼈머리는 어깨위팔관절의 근육 중에서 유일하게 어깨뼈 및 빗
  장뼈에 부착되지 않는 근육이다.

02. 작은가슴근(소흉근)
Pectoralis minor m.

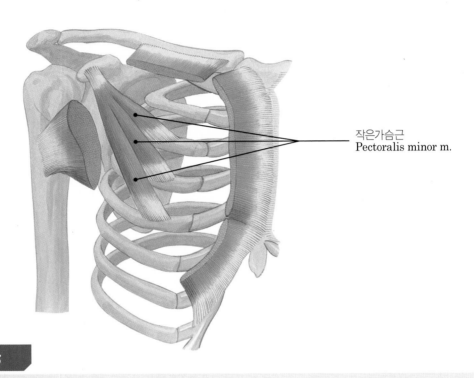

작은가슴근
Pectoralis minor m.

Tips

- 위팔신경얼기(상완신경총)가 지나가는 근육이다.
- 작은가슴근이 단축되면 심장근육(심근)경색에 영향을 줄 수 있다.
- 야구, 역도 등 팔을 반복적으로 올리는 운동에 의해 영향을 받는다.
- 위팔신경얼기의 마비증세로 인해 작은가슴근의 기능이 저하된다.
- 상습적으로 팔을 올리고 엎드려 자는 습관은 통증을 유발하며, 자주 목발을 짚고 보행하면 신경과 근육이 눌려 통증이 온다.
- 작은가슴근증후군 : 어깨를 가쪽으로 회전하고 스트레칭 시 팔의 저림현상이 나타난다. 마치 목디스크증상과 유사한다. 어깨를 가쪽으로 돌려 스트레칭하면 통증이 있고 팔이 저리다면 작은가슴근증후군을 의심해볼 수 있다.
- 무리한 벤치프레스는 작은가슴근에 통증을 일으킬 수 있다.

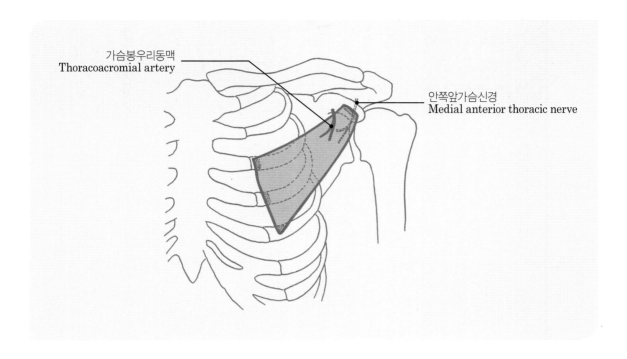

가슴봉우리동맥
Thoracoacromial artery

안쪽앞가슴신경
Medial anterior thoracic nerve

🔵 **시작점**   셋째~다섯째갈비뼈의 앞면
🔵 **부착점**   어깨뼈의 부리돌기
🔵 **신경지배** 안쪽가슴근신경
🔵 **기능**   • 어깨 내리기
                • 어깨 아래쪽돌리기
                • 어깨 앞으로 기울이기(시상면)
🔵 **해설**   작은가슴근은 어깨를 안정시킨다는 중요한 역할을 하며, 등세모근 아래섬유와
                마찬가지로 다른 근육에 의하여 발생하는 어깨뼈의 불필요한 운동을 제한한다.
                이밖에 갈비뼈를 올려서 호흡을 보조한다.

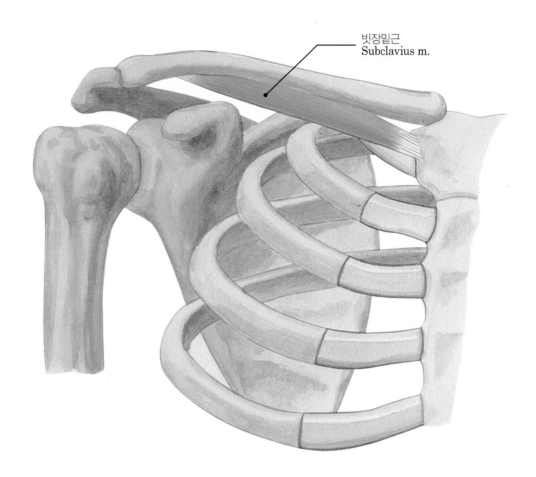

빗장밑근
Subclavius m.

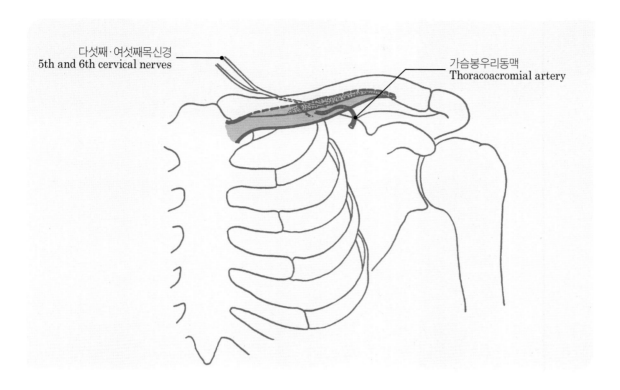

- ● **시작점**   첫째갈비연골의 근육부위
- ● **부착점**   빗장뼈의 아래면
- ● **신경지배**   팔신경얼기 위신경줄기에서 나온 말초신경(다섯째 · 여섯째목뼈)
- ● **기능**   어깨 내리기
- ● **해설**   빗장밑근은 빗장뼈와 거의 평행하게 주행하며, 주로 빗장뼈의 안정에 관여한다.

Tips

- ● 빗장뼈 밑에 자리잡고 있으며, 위팔신경얼기가 지나가는 근육이다.
- ● 라운드숄더(둥근어깨)에 영향을 준다.

04. 앞톱니근(전거근)
Serratus anterior m.

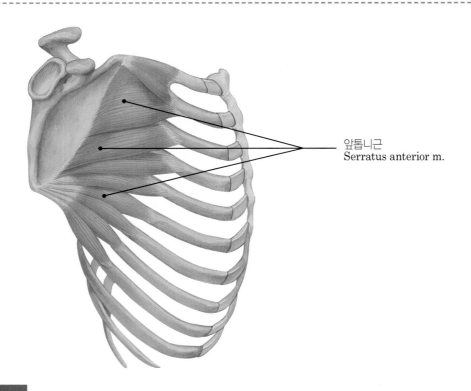

앞톱니근
Serratus anterior m.

Tips

● 가슴 옆쪽에 있는 '톱니' 모양을 한 근육들로 이루어진 큰 근육으로, 가슴우리(흉곽)와 어깨뼈 사이로 뻗어 있다.

● 긴가슴신경(장흉신경, C5~C7)의 영향을 받는다. 목갈비근(사각근) 관리를 기본으로 해야 한다.

● 마름근(능형근)과 배바깥빗근(외복사근)과 연결되어 있다.

● 옆구리살을 뺄 때 신경써야 하는 근육이며, 강하게 관리하면 가슴막(늑막)에 통증을 야기한다.

● 골프 스윙과 연관이 있고, 유방의 림프순환과도 연관이 있다.

● 심근경색 · 협심증과 비슷한 가슴의 통증을 호소할 수 있고, 큰 동작을 동반한 웃음으로 인한 흔들림으로도 통증이 올 수 있다. 만성기침 · 호흡계통환자들이 통증을 호소하는 근육이다.

● 코르셋이나 브래지어를 착용하면 앞톱니근에 압박을 주어 통증을 유발할 수 있다.

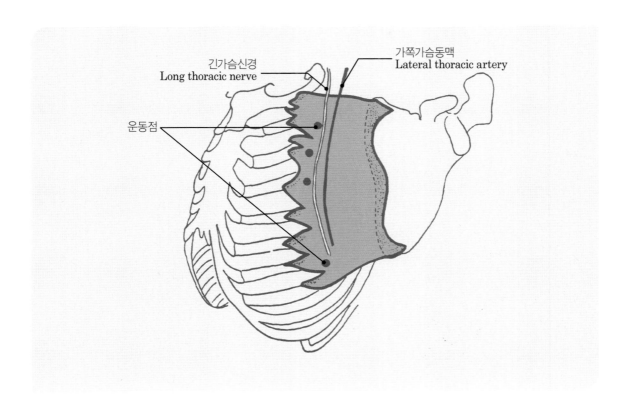

● **시작점**　첫째~아홉째갈비뼈의 옆구리 가쪽면

● **부착점**　아래모서리 부근의 섬유와 어깨뼈 모두의 안쪽모서리

● **신경지배**　긴가슴신경

● **작용**　• 어깨 앞쪽돌출하기

　　　　　• 어깨 위쪽돌리기

　　　　　• 가슴우리 뒷면으로 어깨 고정

● **해설**　　앞톱니근은 어깨뼈 앞면과 가슴우리의 가쪽면 사이를 지나다닌다. 광범위하게
　　　　　부착되는 앞톱니근은 어깨의 위쪽돌리기와 앞쪽돌출을 가장 강력하게 일으킨
　　　　　다. 앞톱니근의 근력이 약화되면 미는 운동을 현저히 감퇴시킨다. 또한 앞톱니
　　　　　근은 어깨를 위쪽으로 돌리는 운동을 하지만, 근력이 약화함에 따라 어깨 굽히
　　　　　거나 벌리기에도 지장을 초래한다.

Chapter 10
어깨의 근육

01. 어깨세모근(삼각근)

Deltoid m.

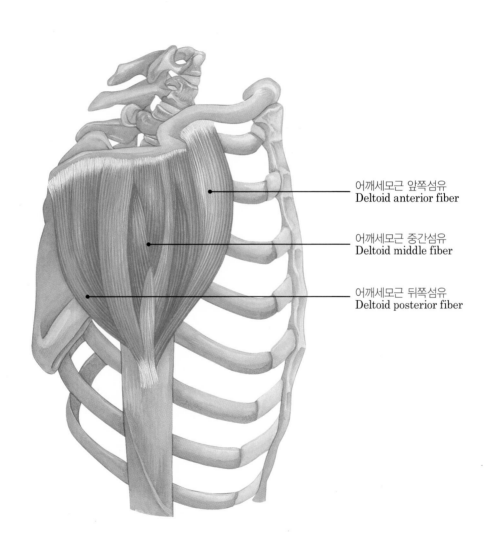

어깨세모근 앞쪽섬유
Deltoid anterior fiber

어깨세모근 중간섬유
Deltoid middle fiber

어깨세모근 뒤쪽섬유
Deltoid posterior fiber

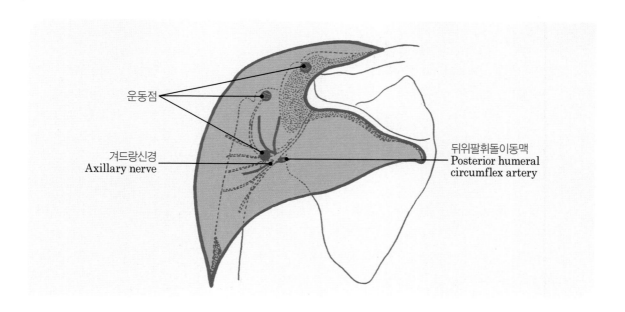

운동점

겨드랑신경
Axillary nerve

뒤위팔휘돌이동맥
Posterior humeral
circumflex artery

🔵 **시작점**　어깨세모근 앞쪽섬유　빗장뼈 가쪽의 앞면
　　　　　　어깨세모근 중간섬유　봉우리의 위쪽면
　　　　　　어깨세모근 뒤쪽섬유　어깨뼈의 어깨뼈가시

🔵 **부착점**　위팔뼈의 어깨세모근 거친면

🔵 **신경지배**　겨드랑신경

🔵 **기능**　어깨세모근 앞쪽섬유　어깨 굽히기/어깨 수평모으기/어깨 안쪽돌리기/어깨 벌리기

　　　　　　어깨세모근 중간섬유　어깨 벌리기/어깨 굽히기

　　　　　　어깨세모근 뒤쪽섬유　어깨 펴기/어깨 수평벌리기/어깨 가쪽돌리기

🔵 **해설**　위팔뼈를 덮고 있는 삼각형의 근육으로, 앞쪽섬유, 중간섬유, 뒤쪽섬유로 구성되어 있다. 어깨세모근 앞쪽섬유는 어깨 벌리기를 보조한다. 또한 무거운 문을 밀어서 열 때처럼 미는 운동을 할 때에 적극적으로 움직인다. 어깨세모근 중간섬유는 어깨의 위치관계에 따라 어깨세모근의 다른 갈래를 보조한다. 어깨가 안쪽으로 돌리는 자세이면 앞쪽에서 안쪽-가쪽방향의 회전축이 되어 어깨세모근 앞쪽섬유와 함께 어깨 굽히기에 작용한다. 반대로 어깨가 가쪽으로 돌리는 자세이면 뒤쪽에서 안쪽-가쪽방향의 회전축이 되어 어깨세모근 뒤쪽섬유와 함께 어깨를 펼 때 작용한다.

Tips

- 어깨세모근은 인체에서 360도 회전하는 유일한 관절을 싸고 있으며, 운동성이 매우 좋다.
- 어깨세모근은 압통이 빈번하게 발생되어도 쉽게 손상되지 않아 '둔한 근육'으로 불린다.
- 지배신경인 겨드랑신경(액와신경)은 목의 측면에 위치한 목갈비근을 통과하여 빗장밑부분으로 갔다가 다시 겨드랑이로 내려가기 때문에 목갈비근의 영향으로 눌리거나 목이 경직되어 일자목 또는 거북목이 되면 어깨세모근의 기능을 저하 내지 마비시킨다.
- 어깨세모근(삼각근)과 큰가슴근(대흉근), 그리고 목빗근(흉쇄유돌근)은 빗장뼈(쇄골)에 부착되어 이들 근육에 문제가 생기면 빗장뼈에 변형을 초래하여, 빗장뼈를 지나는 얼굴표정근인 넓은목근(광경근)에도 영향을 주어 얼굴에 변형을 일으키기도 한다.
- 굳은어깨(오십견)나 어깨팔의 통증(견비통)을 호소하는 사람들은 볼과 입꼬리가 처지며 안면 비대칭현상이 나타나기도 한다.

Tips

어깨세모근 앞쪽섬유

- 어깨세모근 앞쪽섬유의 시작점인 빗장뼈는 빗장밑근(쇄골하근), 큰가슴근(대흉근), 목빗근(흉쇄유돌근), 등세모근(승모근) 위섬유와 함께 있으며, 서로 당기는 힘에 의하여 빗장뼈가 균형을 조절함으로써 어깨관절의 안정과 움직임에 중요한 역할을 한다.
- 어깨세모근 앞쪽섬유 단독으로는 어깨관절 굽히기와 수평모으기를 담당하고, 어깨세모근 중간섬유, 어깨세모근 뒤쪽섬유과 협동하면 벌리기운동에 관여한다. 그런데 이 앞쪽섬유는 기본적으로 큰가슴근의 빗장가지와 부리위팔근, 위팔두갈래근 짧은갈래와 함께 기능적으로 동일한 역할을 한다.
- 어깨세모근 앞쪽섬유의 움직임에 이상이 생기면 등세모근(승모근) 위쪽섬유에 바로 영향을 주어 목의 움직임에 제한을 주고, 두통과 자율신경계통 증상을 일으키며, 빗장뼈로 배수되는 림프의 순환을 방해하여 부종을 일으키기도 한다.
- 큰가슴근(대흉근)과 작은가슴근(소흉근), 큰원근(대원근), 넓은등근(광배근)에 긴장상태, 즉 라운드숄더가 형성되면 어깨세모근 앞쪽섬유는 위팔뼈의 모음으로 인해 단축이 일어나고, 어깨세모근은 반대로 늘어나 이완성 긴장상태가 된다.
- 어깨세모근 앞쪽섬유는 어깨관절의 앞쪽에서 큰가슴근을 덮고 있어 사실상 큰가슴근의 빗장가지와 기능이 동일하므로, 라운드숄더로 큰가슴근이 짧아지면 어깨세모근 앞쪽섬유도 단축성 긴장상태가 된다.

Tips

어깨세모근 중간섬유

● 어깨세모근 중간섬유는 가시위근과 더불어 어깨관절을 벌리는 기능을 하는데, 초기에는 가시위근이 작용하지만 그 후 90도까지는 어깨세모근 중간섬유가 서로 협조하여 기능한다.

● 단독으로 작용할 때에는 어깨관절을 강하게 벌리고, 가시위근과 협동에 의한 동작보다 편안한 벌리기 동작이 가능하다.

Tips

어깨세모근 뒤쪽섬유

● 어깨세모근 뒤쪽섬유는 위팔세갈래근, 가시위근(극상근), 작은원근(소원근)과 직·간접적으로 함께 작용한다.

● 이 뒤쪽섬유는 어깨관절의 위치에 따라 많은 영향을 받으며, 단독으로 작용할 때에는 어깨관절을 펴고, 어깨세모근 앞쪽 및 중간섬유와 협동 시에는 벌리기에 관여한다.

02. 어깨밑근(견갑하근)

Subscapularis m.

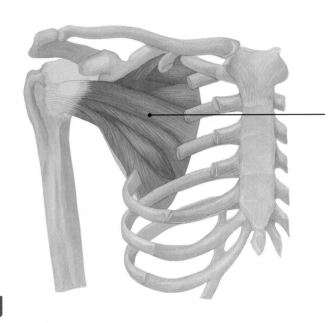

어깨밑근
Subscapularis m.

Tips

- 어깨뼈의 갈비면이 시작점인 삼각형의 뭇깃근육으로, 어깨뼈와 가슴우리 사이를 주행하며, 일명 '오십견근육'이라 불린다. 따라서 굳은어깨(오십견)환자는 이 근육을 잘 관리하면 팔을 벌리는 범위가 넓어져 통증이 완화된다.
- 수소음신경의 극천혈부위는 혈압과 림프에 관계가 깊다.
- 어깨부위의 통증은 어깨세모근 뒤쪽섬유에서 뚜렷하게 나타나 위팔로 방사되며, 통증은 손목까지 내려가기도 한다. 어깨밑근의 단축으로 인해 가쪽돌림근이 손상되면 벌리는 동작에서 위팔뼈머리에서 돌림이 일어나지 않아 위팔뼈머리가 어깨봉우리와 부딪쳐 어깨봉우리가 솟아오르게 된다.
- 어깨관절의 운동제한은 겨드랑부위의 공간을 폐색시켜 림프와 혈액의 흐름을 좋지 않게 하고, 겨드랑이 부분에 불쾌감을 유발한다.
- 이 근육은 어깨아래 겨드랑부위에 부착되어 있어 깊숙하게 자극을 직접적으로 주거나 위팔 작은결절 몸쪽부위를 자극하면 관리가 가능하다.
- 조금만 관리해도 벌림각도가 30~40도까지 향상되므로 치료효과를 금세 볼 수 있는 근육이다.

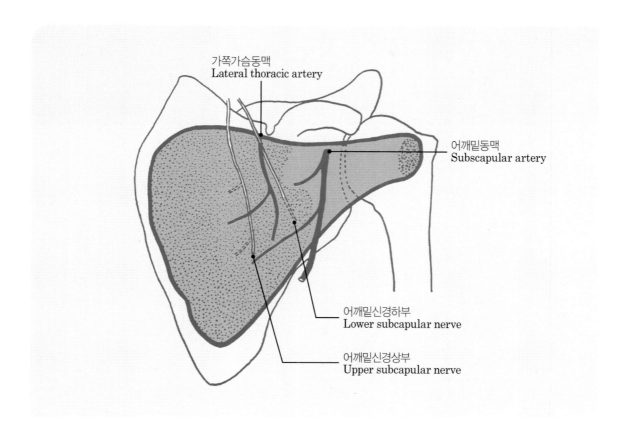

● **시작점** 어깨뼈밑오목
● **부착점** 위팔뼈의 작은결절
● **신경지배** 위·아래쪽에 있는 어깨밑신경
● **기능**   어깨 안쪽돌리기
        어깨위팔관절 안정
● **해설**   어깨밑근은 다른 돌림근띠 근육, 특히 가시아래근과 작은원근을 바깥으로 돌리
        는 힘에 대한 균형을 잡으면서 어깨위팔관절의 앞쪽부분을 안정시킨다. 이러한
        상호작용에 의하여 돌림근띠 전체가 위팔뼈머리를 관절오목에 단단히 고정시킬
        수 있다.

03. 가시위근(극상근)

Supraspinatus m.

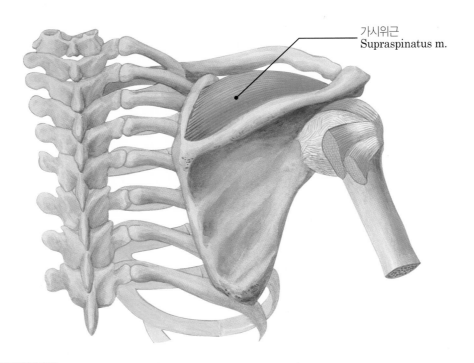

가시위근
Supraspinatus m.

Tips

- 돌림근띠(회전근개)를 구성하는 근육(가시위근, 가시아래근, 작은원근, 어깨밑근) 중의 하나이다.
- 팔을 들어올리는 첫 동작에서 30도까지 관여하고, 칫솔질ㆍ머리빗는 동작에 사용한다.
- 무거운 물건을 들 때 팔이 탈구되지 않게 하며, 위팔뼈머리를 어깨뼈관절오목으로 압박하여 고정시키고, 어깨세모근과 함께 팔의 벌림운동을 주도한다.
- 팔을 벌릴 때 주동근은 어깨세모근(삼각근)이지만, 이 근육의 기능이 마비되더라도 가시위근만 으로 팔을 들어올릴 수 있다.
- 가시위근에 이상이 있으면 가시위근힘줄을 둘러싸면서 위팔관절의 보조근육 역할을 하는 커다 란 윤활주머니는 어깨세모근과 어깨봉우리를 분리시키는 작용을 한다.
- 가시위근에 이상이 있으면 팔을 움직일 때 '딱딱' 소리가 난다.

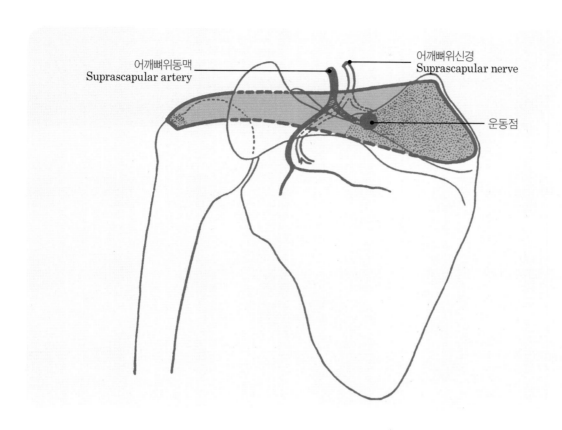

어깨뼈위동맥
Suprascapular artery

어깨뼈위신경
Suprascapular nerve

운동점

● **시작점** 가시위오목

● **부착점** 위팔뼈의 큰결절(상부면)

● **신경지배** 어깨위신경

● **기능** 어깨 벌리기
어깨위팔관절의 안정

● **해설** 가시위근은 돌림근띠 근육의 하나이다. 위팔뼈머리 위에 위치하고 있어 어깨
위팔관절의 위쪽을 안정시킨다. 이것은 어깨를 벌리기 시작할 때 중요한 역할
을 한다. 견인선이 수평으로 주행함으로써 어깨위팔관절을 벌릴 때 위팔뼈머리
를 쉽게 회전할 수 있게 만든다. 큰 부하가 가해져 부상을 입기 쉬운 근육이다.
위팔뼈의 벌리기 및 모으기를 반복하면서 어깨뼈가시의 윗부분을 만지면 쉽게
확인되며, 어깨관절에 이상이 있을 때에는 이 가시위근의 이상을 의심할 수 있
다. 또한 굳은어깨가 의심되는 경우에는 이 근육이 구축되어 통증이 나타나는
일이 종종 있다.

04. 가시아래근(극하근)

Infraspinatus m.

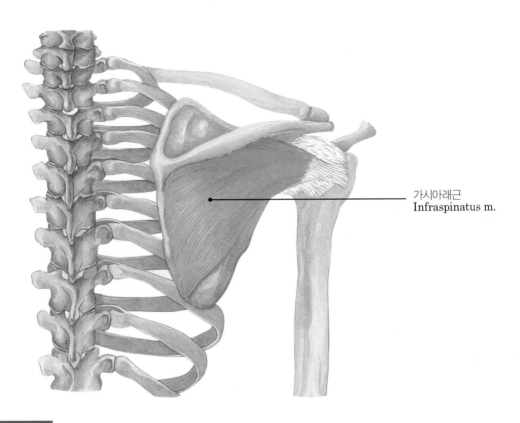

가시아래근
Infraspinatus m.

Tips

- 돌림근띠(회전근개)를 구성하는 근육(가시위근, 가시아래근, 작은원근, 어깨밑근) 중의 하나로, 돌림근띠를 구성하는 근육 중에서 가시위근(극상근) 다음으로 상해를 입기 쉽다.
- 허리 뒤로 양손을 뻗어 손가락으로 깍지끼고 팔을 쭉펴는 동작을 할 때 작용하는 근육이다.
- 이 근육 중간에는 수태양소장경의 천종혈이 있고, 모유수유에 관여한다.
- 가시아래근에 이상이 있으면 브래지어를 뒤에서 채우지 못한다.
- 목디스크가 있으면 이 근육이 약화될 수 있다.
- 연관통증으로 심장과 간에 통증이 올 수 있다.

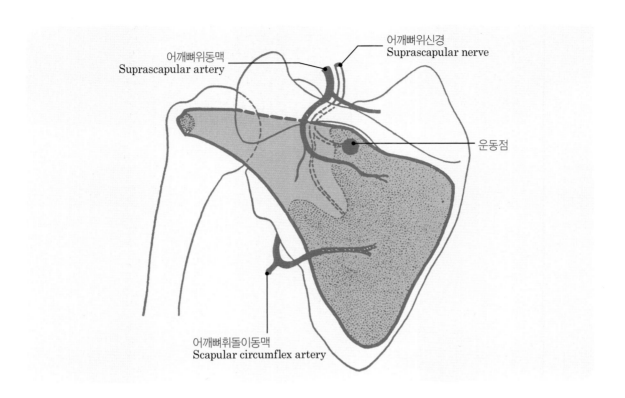

어깨뼈위동맥
Suprascapular artery

어깨뼈위신경
Suprascapular nerve

운동점

어깨뼈휘돌이동맥
Scapular circumflex artery

● **시작점** 가시아래오목

● **부착점** 위팔뼈의 큰결절(중부면)

● **신경지배** 어깨위신경

● **기능** 어깨 가쪽돌리기
　　　　　어깨위팔관절의 안정

● **해설** 가시아래근과 작은원근 모두 어깨를 가쪽으로 돌린다. 야구의 피칭이나 배구의 스파이크에서는 강력한 안쪽돌림 토크가 발생하지만, 이러한 강력한 토크는 가시아래근과 작은원근의 원심성 수축에 의하여 감소한다. 강력한 힘에 대해 저항을 할 때 때때로 이러한 근육의 한쪽 또는 양쪽이 손상 및 파열이 일어나는 경우가 있는데, 이것이 돌림근띠 파열이다. 어깨관절에 이상이 있으면 가시위근과 함께 자주 의심되며, 또한 어깨결림의 원인이 되기도 쉬운 근육이다.

05. 작은원근(소원근)

Teres minor m.

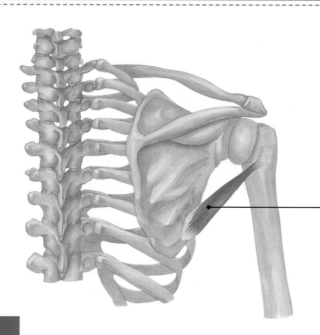

작은원근
Teres minor m.

Tips

- 가시아래근 아래쪽에 있는 긴 원뿔모양(단면은 원형)의 근육으로. 큰원근(대원근)과 이름은 유사하지만 기능과 지배신경은 다르다.
- 돌림근띠(회전근개)를 구성하는 근육(가시위근, 가시아래근, 작은원근, 어깨밑근) 중의 하나이다.
- 이 근육은 위팔뼈(상완골)를 관절오목(관절와) 뒤쪽으로 돌리는 동작과 가쪽돌리기가 주기능이고, 가시위근과 어깨밑근을 보조하고, 어깨를 벌리거나 펼 때 어깨세모근 뒤쪽섬유과 함께 위팔뼈머리를 고정시킨다.
- 어깨통증의 주범은 작은원근과 가시위근의 긴장이다.
- 큰가슴근의 길항근으로 거북목을 잡아주는 근육이다.
- 겨드랑신경과 노신경이 나오는 포인트이므로 통증이 많이 오는 근육이다.
- 작은원근의 이상은 길항적 기능을 하는 큰가슴근에 긴장성 단축을 일으켜 어깨가 안으로 말리는 라운드숄더가 형성되어 작은원근에 만성적인 부하가 걸린다.
- 작은원근을 관리할 때에는 반드시 큰가슴근도 함께 관리해야 한다.

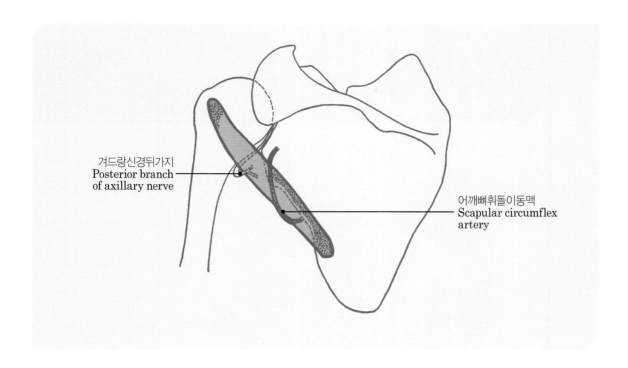

겨드랑신경뒤가지
Posterior branch
of axillary nerve

어깨뼈휘돌이동맥
Scapular circumflex
artery

● **시작점**　어깨뼈아래모서리 부근 가쪽모서리의 뒷면
● **부착점**　위팔뼈의 큰결절(아래면)
● **신경지배**　겨드랑신경
● **기능**　어깨 가쪽돌리기
　　　　어깨위팔관절의 안정
● **해설**　어깨위팔관절의 정상적인 운동에는 가시아래근과 작은원근의 안쪽아래로 향하는 주행이 중요하다. 어깨를 굽히거나 바깥으로 돌릴 때에는 어깨위팔관절의 충돌(impingement)을 피하기 위하여 이 근육이 위팔뼈의 아래쪽으로 미끄러진다. 또한 가시아래근과 작은원근은 가쪽으로 돌릴 때 큰결절이 봉우리의 아래를 지나가도록 위팔뼈를 바깥으로 돌려준다. 어깨뼈가시 아래를 촉진하여 위팔뼈를 안쪽·가쪽으로 돌리면 어깨밑근과 작은원근을 촉진할 수 있다. 이 근육은 어깨관절의 탈구를 저지한다.

05. 큰원근(대원근)
Teres major m.

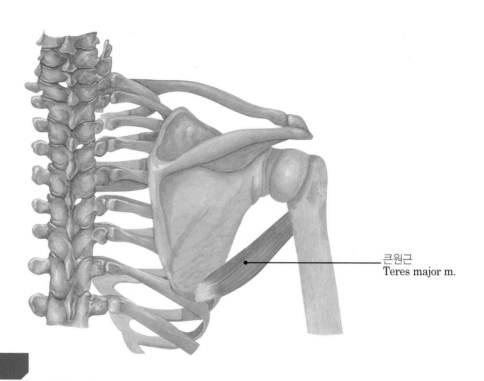

큰원근
Teres major m.

Tips

- 작은원근(소원근) 아래쪽에 있는 긴 원주모양의 근육으로, 같은 부착점을 가진 넓은등근(광배근)의 대표적인 보조근이다.
- 큰원근은 단독적으로 문제를 만들지 않고 마름근(능형근), 어깨밑근(견갑하근), 큰가슴근(대흉근)과 같이 2차적 손상을 일으키는 근육이다.
- 옷을 입기 위해 팔을 들어올릴 때 통증이 온다.
- 큰원근은 도끼질과 같은 팔동작이나 수영, 골프스윙, 톱으로 나무를 써는 동작 등과 같이 위팔뼈를 모으거나 안쪽돌리기를 할 때 넓은등근과 협동하여 작용한다.
- 테니스 서브 동작에서 팔을 위로 올려 뻗을 때 통증이 발생한다.
- 큰원근에 문제가 있으면 어깨관절을 움직일 때 뜨끔뜨끔하는 통증과 이유없이 팔에 힘이 빠지는 현상도 나타난다.

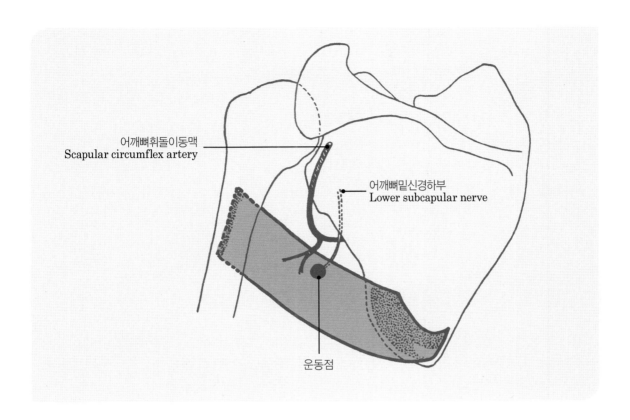

- **시작점**   어깨뼈의 아래모서리
- **부착점**   위팔뼈의 작은결절능선
- **신경지배** 아래의 어깨밑신경
- **기능**   어깨 모으기

        어깨 펴기

        어깨 안쪽돌리기
- **해설**   큰원근은 어깨위팔관절을 모으고 펴게 한다. 이 근육은 '작은 넓은등근'으로 불리며, 어깨뼈 내리기를 제외하고는 넓은등근과 모두 같은 움직임을 한다.

어깨근육의 기능이상 판별법

● 목 뒷부분에 손이 닿지 않을 때 → 어깨밑근

● 귀쪽에만 손을 닿을 때 → 가시아래근

● 머리 위쪽으로는 닿을 수 있지만 머리 뒤쪽으로는 닿지 않을 때 → 어깨세모근 뒤쪽섬유

● 팔을 벌림 상태할 수 없을 때 → 가시위근

돌림근띠

돌림근띠는 작은원근, 가시아래근, 가시위근, 어깨밑근의 네 근육으로 이루어진다. 어깨와 팔을 연결하는 이 네 개의 근육은 어깨를 손으로 감싸듯이 둘러싸고 있다. 이 중에서 가시위근이 가장 쉽게 손상된다. 돌림근띠파열(회전근개파열)이라고 하면 대부분 이 가시위근의 파열을 말한다.

Chapter 11
위팔의 근육

01. 부리위팔근(오훼완근)

Coracobrachialis m.

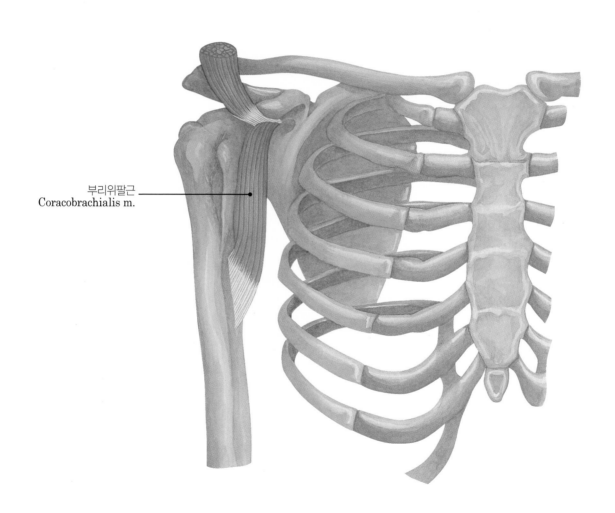

부리위팔근
Coracobrachialis m.

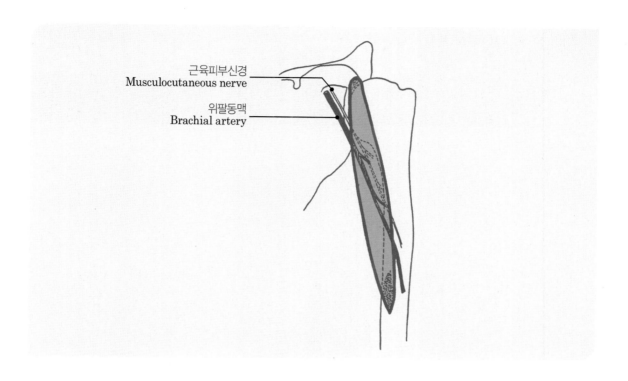

근육피부신경
Musculocutaneous nerve

위팔동맥
Brachial artery

● **시작점**   어깨뼈의 부리돌기
● **부착점**   위팔뼈의 중앙
● **신경지배** 근육피부신경
● **기능**   어깨 굽히기
● **해설**   이 근육은 어깨위팔관절의 굽힘근이지만, 관절의 회전축에서 매우 가깝게 주
          행하기 때문에 어깨위팔관절의 안정성 유지에도 관여한다. 이 기능에 의하여
          어깨가 여러 방향으로 움직일 때 위팔뼈머리를 관절오목에 안정시킬 수 있게
          된다.

02. 위팔두갈래근(상완이두근)
Biceps brachii m.

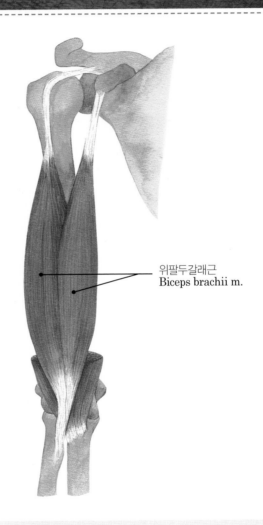

위팔두갈래근
Biceps brachii m.

Tips

● 위팔 앞쪽의 표면에 있으며, 이른바 '알통'을 형성하는 근육이다.

● 가쪽의 긴갈래와 안쪽의 짧은갈래로 구성되어 있다. 어깨관절과 팔꿈관절을 이루는 2관절근
이다.

● 팔꿈치의 굽힘, 팔꿈관절의 뒤침상태에서 강한 힘을 발휘한다.

● 팔꿈치를 굽힐 때 협동하는 위팔근과 뒤쪽에 위치한 위팔세갈래근과는 길항관계에 있다.

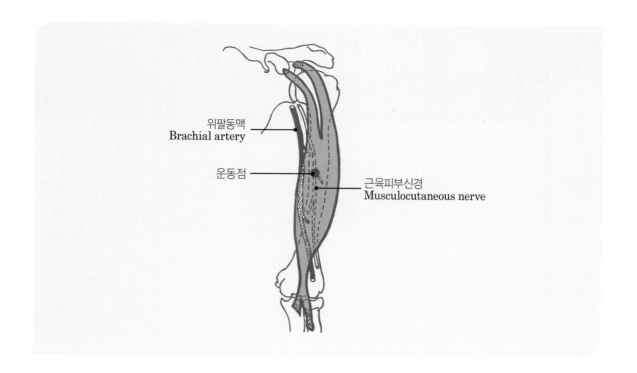

위팔동맥
Brachial artery

운동점

근육피부신경
Musculocutaneous nerve

- 🔵 **시작점** 긴갈래 : 관절오목의 관절위결절
  짧은갈래 : 어깨뼈의 부리돌기
- 🔵 **부착점** 공통의 힘줄이 되어 노뼈의 거친면에 부착
- 🔵 **신경지배** 근육피부신경
- 🔵 **기능** 어깨 굽히기
  팔꿈치 굽히기
  아래팔 뒤치기
- 🔵 **해설** 위팔두갈래근은 주요 팔꿉굽힘근이지만 두 개의 갈래가 어깨의 앞면에서 안쪽
  축을 따라 주행하기 때문에 이 근육은 어깨의 굽힘근으로도 기능한다. 위팔두
  갈래근 긴갈래의 몸쪽부분 힘줄은 위팔뼈머리 위쪽을 넘어 주행하기 때문에 어
  깨의 충돌(impingement)에 의하여 손상을 입기 쉽다. 위팔뼈의 결절사이고랑
  을 주행하는 힘줄을 촉진해보면 두갈래근힘줄염을 확인할 수 있다.

03. 위팔근(상완근)
Brachialis m.

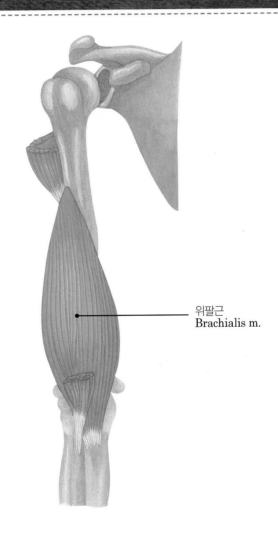

위팔근
Brachialis m.

Tips

- 위팔두갈래근의 깊은부위에 있는 넓고 편평한 근육이다.
- 팔꿈치를 굽힐 때에만 기능하는 근육으로, 팔꿈치가 100도일 때 주로 힘을 발휘하지만, 펴진 상태에서는 힘을 발휘하지 못한다.
- 위팔근이 위치한 곳에 혈압을 재는 위팔동맥이 지나간다.

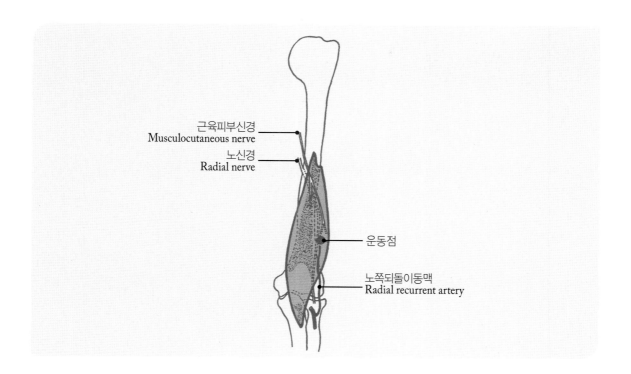

근육피부신경
Musculocutaneous nerve

노신경
Radial nerve

운동점

노쪽되돌이동맥
Radial recurrent artery

- **시작점** 먼쪽위팔뼈의 앞면
- **부착점** 자뼈의 갈고리돌기
- **신경지배** 근육피부신경
- **기능** 팔꿈치 굽히기
- **해설** 이 근육은 같은 팔꿈치굽힘근인 위팔두갈래근보다 단면적이 크기 때문에 팔꿈 치를 굽히는 동작을 할 때 크게 기여한다. 위팔두갈래근과 같이 노뼈가 아닌 자뼈에 부착되기 때문에 아래팔이 엎치거나 뒤친 자세에서도 근육의 길이나 발 휘하는 힘은 영향을 받지 않는다. 게다가 위팔근은 팔꿈치를 굽힐 때만 가능하 기 때문에, 예를 들어 위팔두갈래근과 같은 다른 팔꿈치굽힘근이 활동하는 데 필요한 고정근의 기능 및 아래팔의 불필요한 움직임을 방지할 필요가 없다. 따 라서 위팔근은 엎치기 및 뒤치기에 관계없이 모두 팔꿈치를 굽힐 때 기능한다.

위팔두갈래근과 위팔근의 기능

팔꿈치를 굽힐 때에는 복합적인 기능이 모두 작동하여 커다란 굽힘토크가 발휘된다. 이것은 사람이 턱걸이를 할 때에 명확해진다. 그러나 대부분의 일상적인 활동에서는 최대수준의 토크를 필요로 하지 않는다. 신경계통은 목표과제를 수행하기 위하여 필요한 근력과 최적토크량을 선택한다.

위팔근은 저항의 크기 및 아래팔이 엎침자세 · 중립자세 · 뒤침자세 등인지 아닌지에 관계없이 기본적으로 모두 팔꿈치를 굽히는 활동에 관여한다. 완전히 뒤친 자세에서 팔꿈치를 굽힐 때에는 노뼈에 부착된 위팔두갈래근의 활동범위가 넓어진다. 반대로 아래팔을 완전히 엎친 자세로 하고 중력을 실은 상태에서 천천히 팔꿈치굽히기를 반복하면서 위팔을 촉진해보면 위팔두갈래근이 활동하고 있지 않다는 것을 확인할 수 있다. 아래팔을 엎치거나 뒤치지 못할 때에 가장 많이 움직이는 근육은 보다 깊은층에 있는 위팔근이다.

다음으로 아래팔을 뒤침자세로 하고 팔꿈치굽히기와 펴기를 재빠르고 강하게 반복하면서 위팔을 만져본다. 이 경우 곧바로 위팔두갈래근의 긴장이 고조되며, 이 근육의 강한 근육활동에 의하여 뒤치기가 발생하는 것을 확인할 수 있다. 신경계통은 복합적인 운동을 정확하게 수행하기 위하여 위팔두갈래근의 활동을 개시하게 만든다. 이 경우에도 위팔근은 활동을 지속하고 있다. 특히 강한 힘으로 위팔두갈래근과 같은 다관절근육이 활동하면 '대가'를 치러야 한다. 위팔두갈래근은 어깨의 굽힘근이기도 하므로 어깨세모근 뒤쪽섬유와 같은 어깨의 폄근이 불필요한 어깨의 굽힘을 억제하기 위하여 활동하지 않으면 안 된다.

팔꿈관절을 펴는 근육

팔꿈치를 펼 때 기능하는 근육은 위팔세갈래근과 팔꿈치근이다. 팔꿈치펴기는 미는 동작과 관련이 있기 때문에 팔꿈치폄근은 바람직한 동작을 수행하기 위하여 어깨의 굽힘근과 협동하여 활동하기도 한다.

팔꿈관절을 펼 때의 주동근은 다음과 같다.
위팔세갈래근 ｜ 팔꿈치근

◼ 단일관절근육과 이관절근의 기능적 고찰

통상적으로 팔꿈치를 펼 때에는 큰 힘을 필요로 한다. 그 때문에 위팔세갈래근의 세 갈래 모두와 팔꿈치근의 강한 활동이 요구된다. 이것들의 기능은 팔굽혀펴기나 의자를 손으로 누르고 올라설 때와 같이 강하게 미는 동작을 할 때 필요하다. 다만 일상적인 움직임에서 필요한 것은 비교적 약한 팔꿈치의 폄근력인데, 이것은 팔꿈치폄근 중에서 단일관절근육만에 의한 활동이다. 예를 들어 선반에 있는 유리컵을 집기 위해서 팔을 위로 뻗을 때에는 위팔세갈래근의 안쪽갈래와 가쪽갈래 및 팔꿈치근만 활동한다. 이러한 근육들이 알맞게 팔꿈치를 펼 수 있도록 하므로 이 선택은 합리적이다. 이때 위팔세갈래근 긴갈래가 활동하면 어깨를 펼 수도 있어 비효율적이기 때문에 위팔세갈래근 긴갈래는 필요하지 않다. 또한 2관절근인 위팔세갈래근 긴갈래의 활동은 어깨가 불필요하게 펴지는 것을 막기 위하여 필요하다.

통상적으로 신경계통은 목적에 맞도록 적절한 근육을 선택한다. 그러나 뇌손상 및 운동에 장애를 초래하는 기타 질환이 있으면 필요 이상의 근육활동을 일으킬 가능성이 있다. 이러한 근육활동의 비효율적인 선택은 운동장애 및 협조성 장애의 원인이 될 가능성이 있다.

◼ 위팔세갈래근에 의한 본래의 미는 동작

위팔세갈래근의 세 갈래 모두 강한 수축이 필요한 미는 동작에서는 일반적으로 팔꿈치펴기와 어깨굽히기가 복합된다. 예를 들면 무거운 철제문을 밀어서 여는 동작을 생각해보자. 위팔세갈래근이 강하게 팔꿈치를 펴주면 어깨세모근 앞쪽섬유의 기능에 의하여 어깨가 굽혀진다. 위팔세갈래근 긴갈래(어깨의 폄근)가 활동하는데 왜 어깨가 굽혀질까? 그 이유는 어깨의 굽힘근인 어깨세모근 앞쪽섬유가 위팔세갈래근 긴갈래에서 어깨 펴기토크에 뛰어나기 때문이다.

위팔세갈래근 긴갈래의 어깨 펴기기능이 상쇄됨으로써 그 수축에너지 전부가 팔꿈치의 펴기토크로 향한다. 무거운 물체를 밀 때에 필요한 어깨의 강한 굽히기와 팔꿈치의 강한 펴기는 위팔세갈래근과 어깨세모근 앞쪽섬유의 상승효과에 의하여 발생한다.

04. 위팔세갈래근(상완삼두근)

Triceps brachii m.

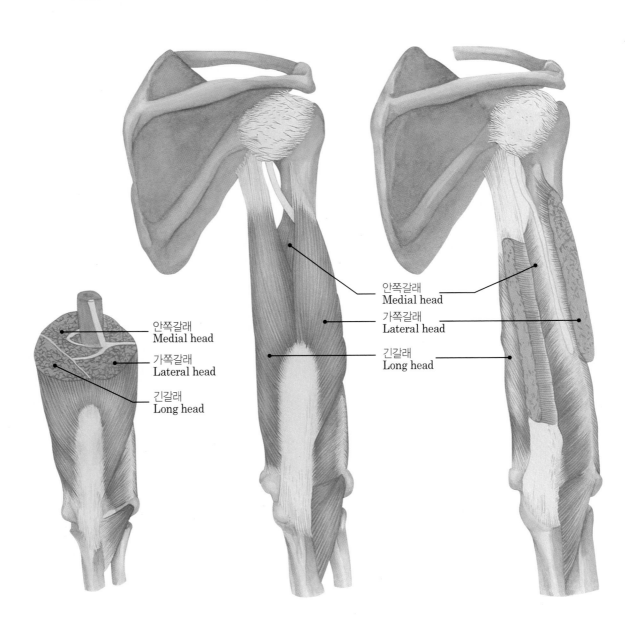

안쪽갈래
Medial head

가쪽갈래
Lateral head

긴갈래
Long head

안쪽갈래
Medial head

가쪽갈래
Lateral head

긴갈래
Long head

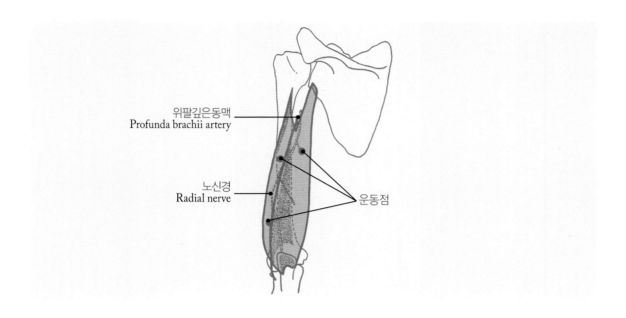

● **시작점**　긴갈래　　어깨뼈의 관절아래결절
　　　　　　가쪽갈래　위팔뼈 몸쪽부분의 뒷면, 노뼈고랑의 가쪽
　　　　　　안쪽갈래　위팔뼈 몸쪽부분의 뒷면, 노뼈고랑의 안쪽
● **부착점**　자뼈의 팔꿈치머리
● **신경지배**　노신경
● **기능**　팔꿈치 펴기, 어깨 펴기(긴갈래만)
● **해설**　위팔세갈래근의 모든 갈래는 팔꿈치를 펴게 할 수 있다. 또한 어깨에 걸쳐 있는
　　　　　긴갈래는 어깨와 팔꿈치를 펼 때 기능한다. 이 2관절에 걸친 근육은 무거운 문을
　　　　　밀어서 열 때처럼 미는 동작에 대한 근육의 최적길이와 장력관계를 조절한다.

Tips

● 팔꿉관절에서 가장 강력한 폄근육으로 3개의 갈래로 구성되어 있고, 긴갈래는 어깨관절과 팔꿉
관절을 이루는 2관절근이다.
● 위팔세갈래근의 주기능은 팔꿈치를 펴는 동작이며, 더불어 어깨의 폄과 모음, 손목의 안쪽돌림
을 담당한다.
● 여성의 경우 근력이 약해지면 근육 대신 그만큼 지방으로 채워진다.
● 테니스엘보, 골프엘보 등의 치료에 도움이 되는 근육이다.

Chapter 12
아래팔 손바닥쪽의 근육

01. 원엎침근(원회내근)

Pronator teres m.

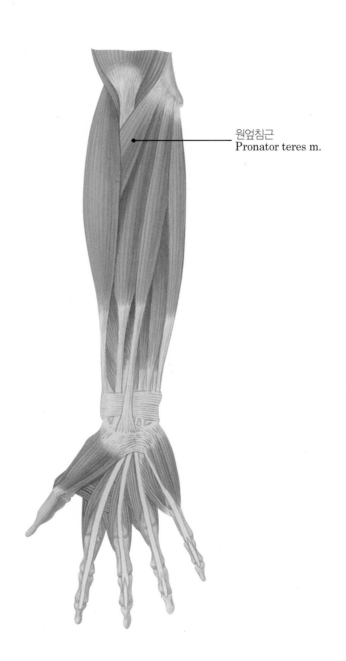

원엎침근
Pronator teres m.

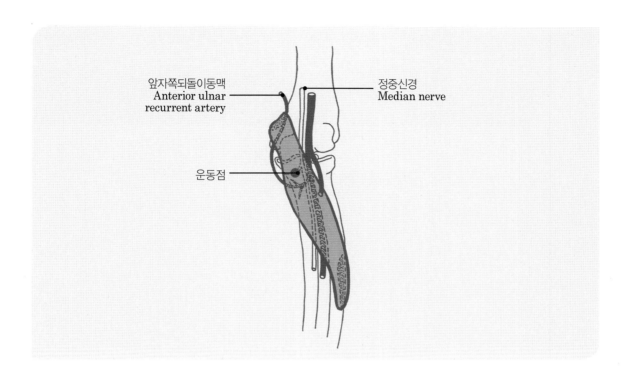

● **시작점**   위팔뼈머리 : 위팔뼈의 안쪽위관절융기
　　　　　　자뼈머리 : 자뼈거친면의 안쪽
● **부착점**   노뼈 중앙부의 가쪽면
● **신경지배** 정중신경
● **기능**   아래팔 엎치기
　　　　　　팔꿈치 굽히기
● **해설**   원엎침근의 두 갈래는 노뼈 중앙부의 가쪽면에 한데 모여 부착된다. 이 근육은
　　　　　　강한 엎침력 때문에 원엎침근이라고 이름이 붙여졌다. 또한 동시에 이 근육은
　　　　　　팔꿉관절의 앞쪽면을 교차하기 때문에 팔꿈치를 굽힐 수도 있다.

Tips

● 팔오금(fossa cubitalis, 주와) 안쪽모서리를 구성하며, 위팔뼈머리와 자뼈머리의 2갈래로 되어
　있다.

02. 노쪽손목굽힘근(요측수근굴근)

Flexor carpi radialis m.

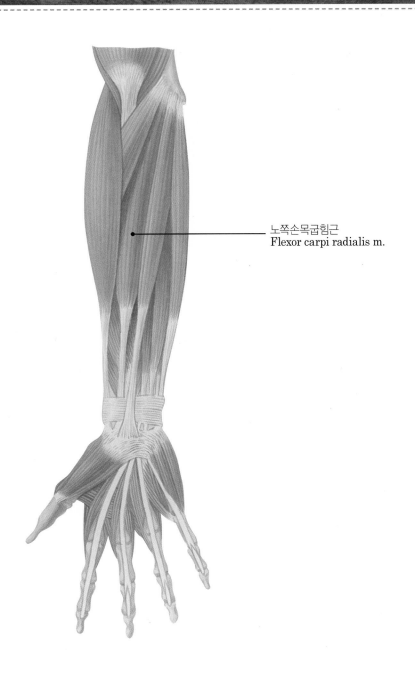

노쪽손목굽힘근
Flexor carpi radialis m.

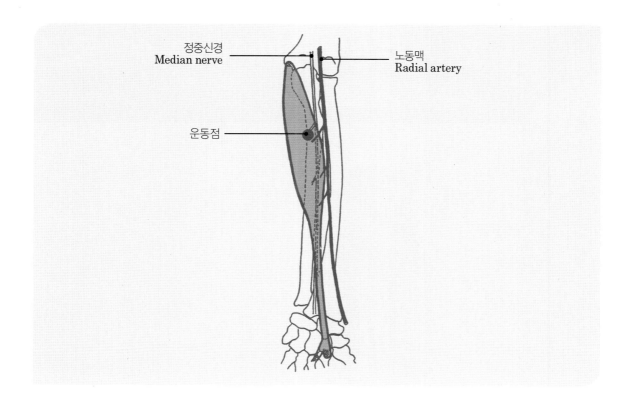

● **시작점**   공통의 굽힘근힘줄로서 위팔뼈 안쪽위관절융기

● **부착점**   둘째손허리뼈 바닥의 손바닥쪽면

● **신경지배** 정중신경

● **기능**   손목관절 굽히기

                노쪽굽히기

● **해설**   노쪽손목굽힘근의 힘줄은 손목굴을 통과하지 않는다. 따라서 노쪽손목굽힘근의
                힘줄은 가로손목인대 내에 있는 다른 통로를 통과하여 둘째손허리뼈바닥의 손
                바닥쪽면에 부착된다.

Tips

● 노쪽손목굽힘근(요측수근굴근)·자쪽손목굽힘근(척측수근굴근)·긴손바닥근(장장근)은 아래팔 앞
  면의 표면에 있는 근육들이다. 노쪽에서부터 노쪽손목굽힘근→긴손바닥근→자쪽손목굽힘근의 순
  으로 있다.

03. 자쪽손목굽힘근(척측수근굴근)

Flexor carpi ulnaris m.

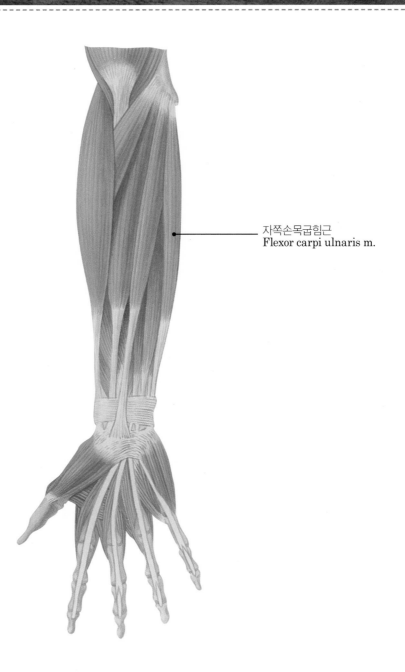

자쪽손목굽힘근
Flexor carpi ulnaris m.

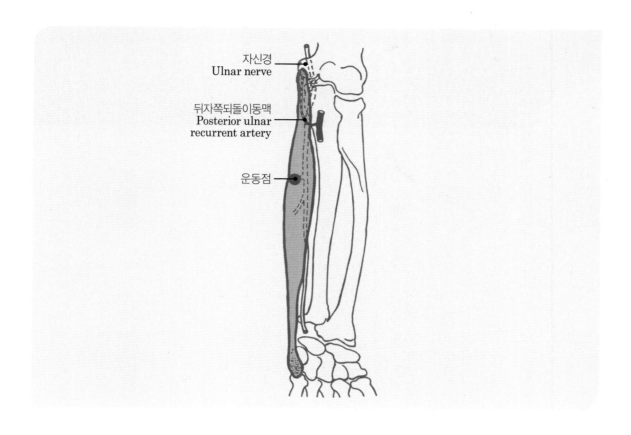

● **시작점**   공통의 굽힘근힘줄로서 위팔뼈 안쪽위관절융기, 자뼈 중앙 1/3의 뒷면

● **부착점**   다섯째손허리뼈와 콩알뼈 바닥의 바닥쪽면

● **신경지배** 자신경

● **기능**   손목관절 굽히기
          자쪽굽히기

● **해설**   자쪽손목굽힘근의 먼쪽힘줄은 콩알뼈로서 알려져 있는 촉진 가능한 종자뼈를
          포함한다. 손목관절의 종자뼈는 무릎관절에 대한 넙다리네갈래근 중 무릎뼈와
          닮아 있어 손목관절굽히기와 자쪽굽히기의 복합동작에서 자쪽손목굽힘근의 지
          렛대기능을 보조한다.

04. 긴손바닥근(장장근)

Palmaris longus m.

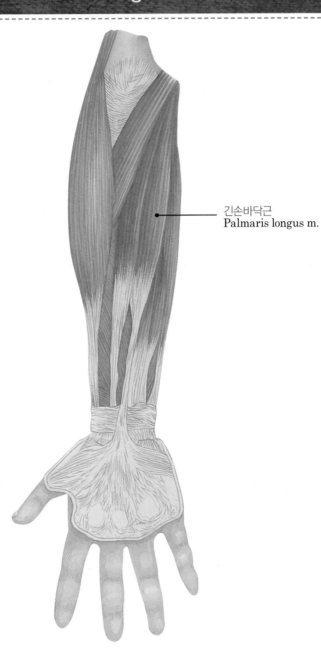

긴손바닥근
Palmaris longus m.

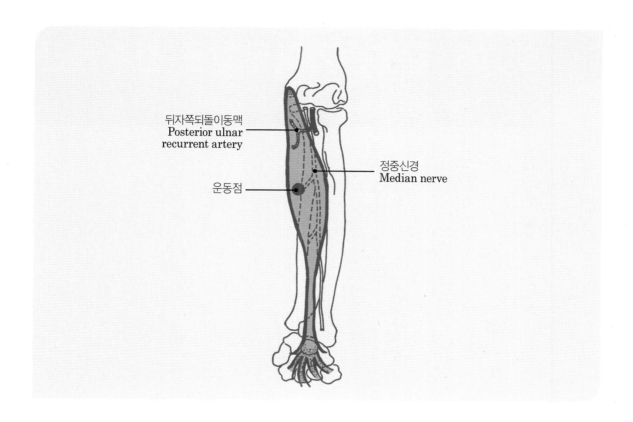

- 🔵 **시작점** 공통의 굽힘근힘줄로서 위팔뼈 안쪽위관절융기
- 🔵 **부착점** 가로손목인대와 손바닥널힘줄
- 🔵 **신경지배** 정중신경
- 🔵 **기능** 손목관절 굽히기
- 🔵 **해설** 긴손바닥근은 손목관절을 굽히는 기능을 하는 작고 얇은 근육이지만, 오히려 손의 손바닥근막을 긴장시키는 능력이 중요시되는 경우가 있다. 흥미롭게도 인구의 약 10%는 한쪽 또는 양쪽 손에서 이 근육이 결여되어 있다. 손바닥을 컵 모양으로 만들어 강하게 손목관절을 굽혀서 손목관절의 바닥쪽 중앙에서 이 근육의 힘줄이 관찰된다면 이 근육의 존재가 증명된다.

05. 얕은손가락굽힘근(천지굴근)

Flexor digitorum superficialis m.

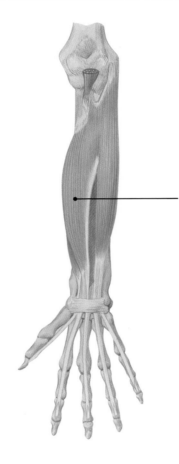

얕은손가락굽힘근
Flexor digitorum superficialis m.

Tips

- 얕은손가락굽힘근(천지굴근)은 아래팔 앞면에 있으며, 깊은부위에 깊은손가락굽힘근(심지굴근)이 있다. 얕은손가락굽힘근은 자쪽손목굽힘근(척측수근굴근)과 긴손바닥근(장장근) 사이의 피부 밑에서 볼 수 있다.
- 얕은손가락굽힘근과 깊은손가락굽힘근만이 둘째~넷째손가락의 굽힘근으로 활동한다. 한 손으로 다른 쪽 아래팔 앞면을 만지면, 만져진 팔의 손으로 주먹을 쥐거나 펼 때 이 근육들의 긴장과 이완모습을 볼 수 있다.

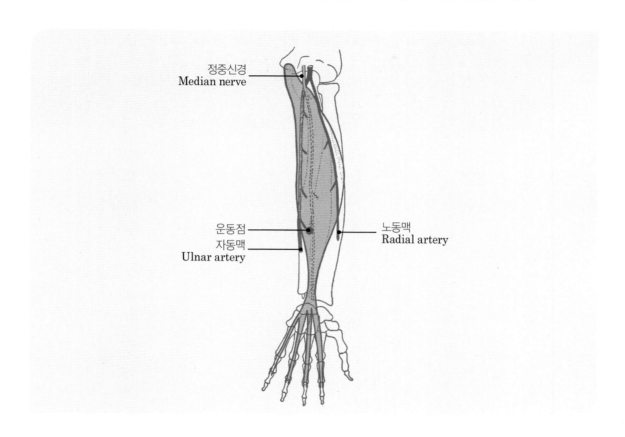

● **시작점**   위팔뼈 안쪽위관절융기의 공통힘줄, 자뼈 갈고리돌기, 노뼈(두갈래근 거친면의
　　　　　　바로 가쪽)
● **부착점**   4개의 힘줄이 되어 손가락 각각의 중간마디뼈 측면
● **신경지배** 정중신경
● **기능**   손허리손가락(MCP)관절 및 몸쪽손가락사이(PIP)관절 굽히기
　　　　　　손목관절 굽히기
● **해설**   얕은손가락굽힘근은 4개의 힘줄로 나뉘어져 각각 다른 네 손가락에 한 줄기씩
　　　　　　부착된다. 또한 각각의 힘줄은 중간마디뼈 양쪽에 부착되도록 분할된다. 각 힘
　　　　　　줄의 분할은 깊은손가락굽힘근힘줄이 끝마디뼈바닥에 부착되기 위하여 말초를
　　　　　　통과하는 '터널'을 형성한다.

06. 깊은손가락굽힘근(심지굴근)

Flexor digitorum profundus m.

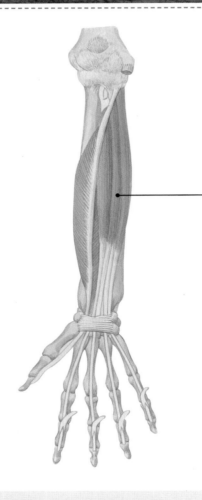

깊은손가락굽힘근
Flexor digitorum profundus m.

Tips

- 얕은손가락굽힘근(천지굴근)은 아래팔 앞면에 있으며, 깊은부위에 깊은손가락굽힘근(심지굴근)이 있다. 얕은손가락굽힘근은 자쪽손목굽힘근(척측수근굴근)과 긴손바닥근(장장근) 사이의 피부 밑에서 볼 수 있다.
- 얕은손가락굽힘근과 깊은손가락굽힘근만이 둘째~넷째손가락의 굽힘근으로 활동한다. 한 손으로 다른 쪽 아래팔 앞면을 만지면, 만져진 팔의 손으로 주먹을 쥐거나 펼 때 이 근육들의 긴장과 이완모습을 볼 수 있다.

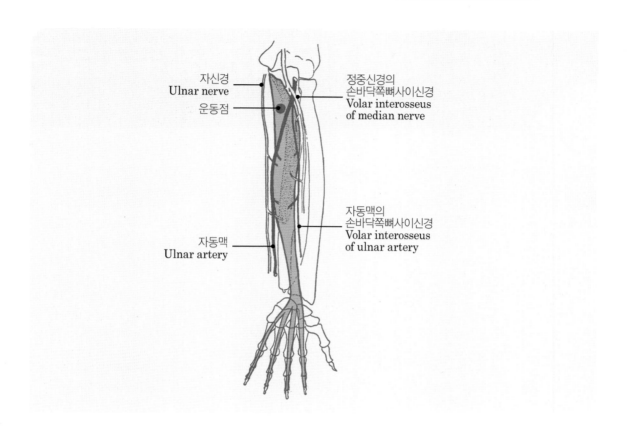

● **시작점**   자뼈 앞면, 뼈사이막

● **부착점**   4개의 힘줄이 되어 각각 둘째~다섯째손가락의 끝마디뼈 바닥

● **신경지배** 안쪽 절반 : 자신경

　　　　　　 가쪽 절반 : 정중신경

● **기능**   손허리손가락(MCP)관절, 몸쪽손가락사이(PIP)관절 및 먼쪽손가락사이(DIP)관절 굽히기

　　　　 손목관절 굽히기

● **해설**   깊은손가락굽힘근힘줄은 손가락의 모든 관절에 뻗어 있기 때문에 쥐는 동작을 할 때 모두 기능한다. 한편 얕은손가락굽힘근은 복합운동 또는 몸쪽손가락사이(PIP)관절만을 이용하는 운동을 할 때에 기능한다.

07. 긴엄지굽힘근(장무지굴근)

Flexor pollicis longus m.

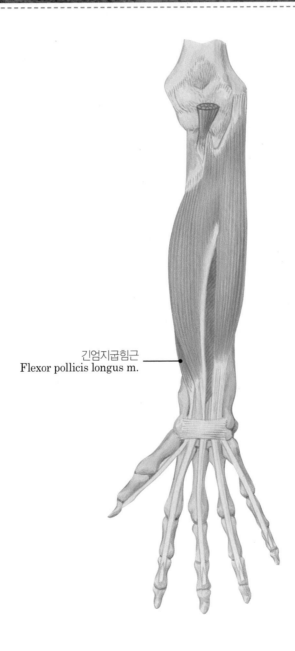

긴엄지굽힘근
Flexor pollicis longus m.

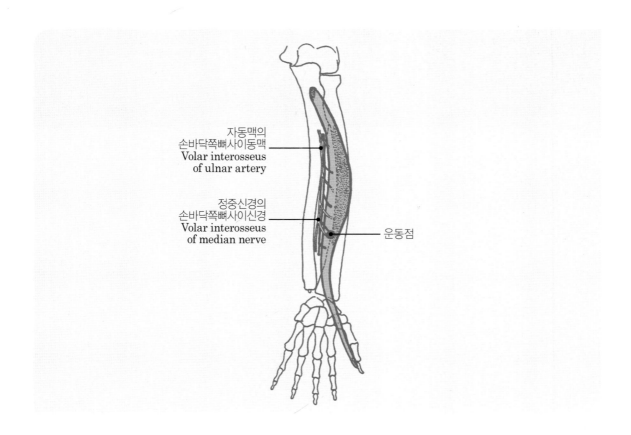

자동맥의
손바닥쪽뼈사이동맥
**Volar interosseus
of ulnar artery**

정중신경의
손바닥쪽뼈사이신경
**Volar interosseus
of median nerve**

운동점

◉ **시작점**   노뼈 앞면 중앙부, 뼈사이막
◉ **부착점**   엄지손가락 끝마디뼈 바닥
◉ **신경지배** 정중신경
◉ **기능**   엄지손가락의 손목손허리(CMC)관절, 손허리손가락(MCP)관절 및 손가락사이
            (IP)관절 굽히기
            손목관절 굽히기
◉ **해설**   긴엄지굽힘근은 엄지손가락 끝마디뼈에 부착되기 때문에 기능적으로는 깊은손
            가락굽힘근과 동일하다.

08. 위팔노근(상완요근)

Brachioradialis m.

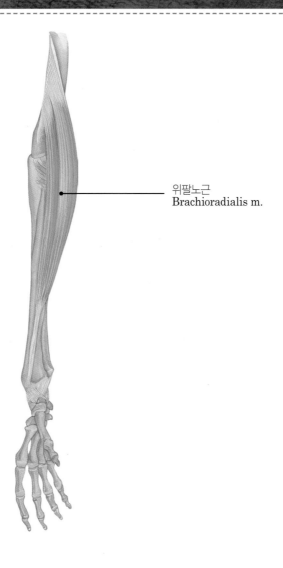

위팔노근
Brachioradialis m.

Tips

● 노신경을 지배하는 유일의 굽힘근육으로, 아래팔의 가장 가쪽에 있다.

● 아래팔폄근육군에 속하지만, 팔꿈치를 굽히는 역할을 한다.

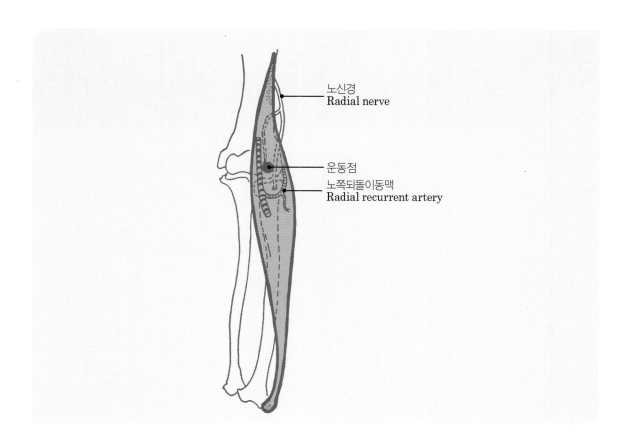

- ● **시작점**   위팔뼈의 가쪽관절융기위능선
- ● **부착점**   노뼈 먼쪽부분의 붓돌기 부근
- ● **신경지배** 노신경
- ● **기능**   팔꿈치 굽히기
           팔꿈치 굽히기의 중립자세(엄지손가락이 위가 되는 위치)까지 아래팔 엎치기
           또는 뒤치기
- ● **해설**   위팔노근은 팔꿈치 굽히기와 아래팔을 중립자세(완전히 엎친 자세와 완전히 뒤
           친 자세의 중간)까지 돌리는 기능이 있다. 위팔노근을 굽히는 힘은 아래팔 중
           립자세에서 매우 높아지는데, 여기에서 이 근육의 굽힘토크가 최대가 된다.

09. 긴노쪽손목폄근(장요측수근신근)

Extensor carpi radialis longus m.

긴노쪽손목폄근
Extensor carpi radialis longus m.

Tips

● 긴노쪽손목폄근(장요측수근신근)과 짧은노쪽손목폄근(단요측수근신근)은 위팔과 노뼈(요골)에서
시작하여 아래팔의 노쪽면과 뒷면 아래를 주행하면서 폄근지지띠(신근지대)의 제2관을 통과한다.
자쪽손목폄근(척측수근신근)은 아래팔 뒷면의 가장 자쪽을 주행한다.

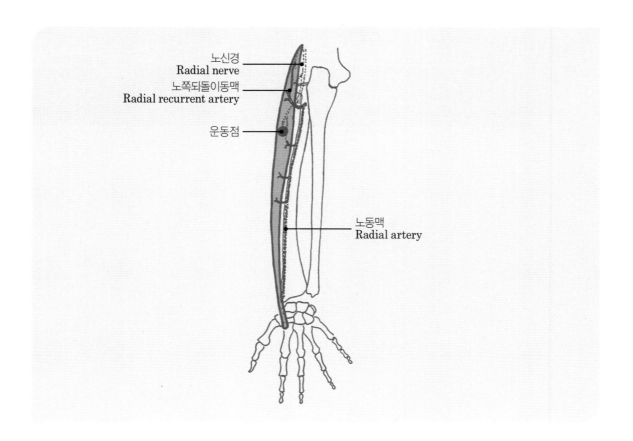

◉ **시작점** 공통의 폄근힘줄로서 위팔뼈가쪽위관절융기

◉ **부착점** 둘째손허리뼈바닥의 등쪽면

◉ **신경지배** 노신경

◉ **기능** 손목관절 펴기

　　　　 노쪽굽히기

◉ **해설** 긴노쪽손목폄근은 협동기능근육인 짧은노쪽손목폄근과 비교하였을 때 뛰어난
　　　　 손목관절 노쪽굽힘근이다. 긴노쪽손목폄근은 앞·뒤방향의 회전축(알머리뼈를
　　　　 지난다)에서 보다 먼 위치에 있기 때문에 노쪽굽힘력을 발휘할 수 있다. 바꿔
　　　　 말하면 긴노쪽손목폄근은 짧은노쪽손목폄근보다 노쪽으로 굽히기 위해서 큰 지
　　　　 렛대기능을 이용할 수 있다.

10. 짧은노쪽손목폄근(단요측수근신근)

Extensor carpi radialis brevis m.

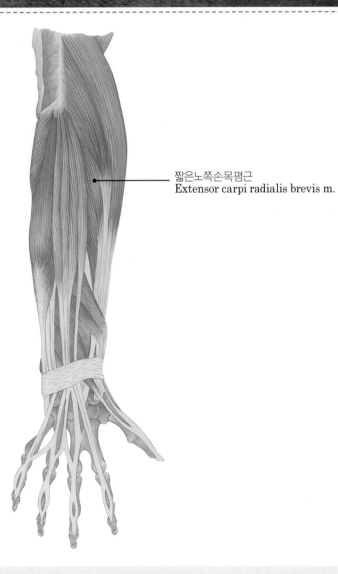

짧은노쪽손목폄근
Extensor carpi radialis brevis m.

Tips

- 긴노쪽손목폄근(장요측수근신근)과 짧은노쪽손목폄근(단요측수근신근)은 위팔과 노뼈(요골)에서
시작하여 아래팔의 노쪽면과 뒷면 아래를 주행하면서 폄근지지띠(신근지대)의 제2관을 통과한다.
자쪽손목폄근(척측수근신근)은 아래팔 뒷면의 가장 자쪽을 주행한다.

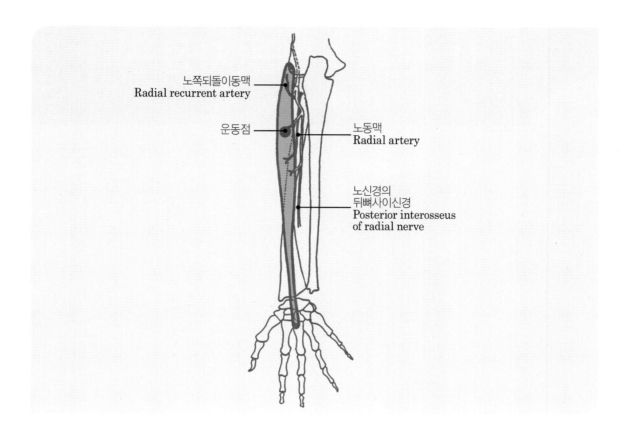

노쪽되돌이동맥
Radial recurrent artery

운동점

노동맥
Radial artery

노신경의
뒤뼈사이신경
Posterior interosseus
of radial nerve

● **시작점** 공통의 폄근힘줄로서 위팔뼈가쪽위관절융기에 부착

● **부착점** 셋째손허리뼈바닥의 등쪽면

● **신경지배** 노신경

● **기능** 손목관절 펴기

　　　　　노뼈쪽굽히기

● **해설** 긴노쪽손목폄근과 짧은노쪽손목폄근은 각각 둘째와 셋째손허리뼈바닥에 부착점
　　　　　이 있다. 이러한 두 개의 손허리뼈는 각각 먼쪽손목뼈에 단단히 고정되어 있어
　　　　　서 그 안정성에 의해 손목관절의 모든 부위에 펴는 힘을 전달하는 보조역할을
　　　　　한다.

11. 손가락폄근(지신근)

Extensor digitorum m.

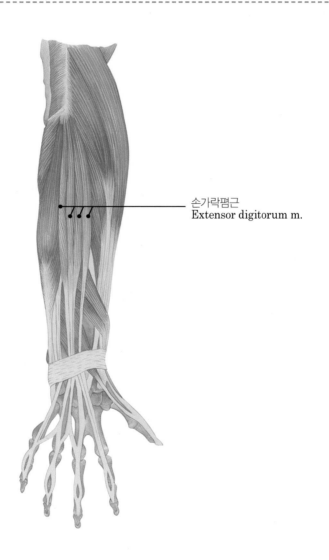

손가락폄근
Extensor digitorum m.

Tips

● 아래팔폄근의 표면에 있으면서 아래팔 뒷면의 거의 중앙부위로 달리는 가장 강력한 손가락폄근.
손가락을 젖히면 손등의 힘줄에서 볼 수 있다.

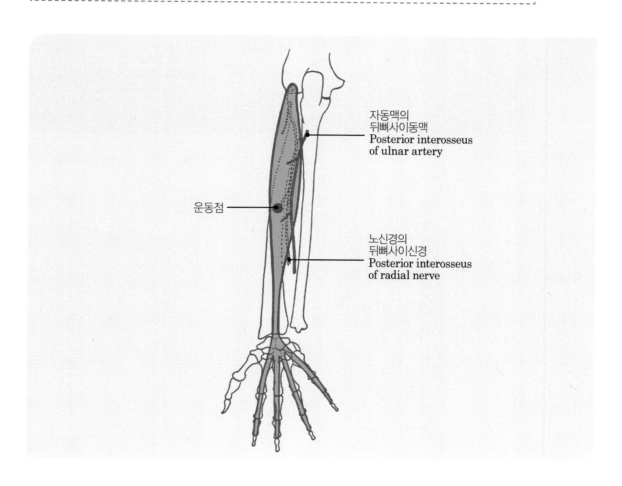

자동맥의
뒤뼈사이동맥
Posterior interosseus
of ulnar artery

운동점

노신경의
뒤뼈사이신경
Posterior interosseus
of radial nerve

● **시작점** 위팔뼈 가쪽위관절융기(일반적인 폄근힘줄)

● **부착점** 둘째부터 넷째손가락의 첫마디뼈바닥

● **신경지배** 노신경

● **기능** 손가락 펴기

● **해설** 손가락폄근만이 따로 수축하면 손목손허리(MCP)관절의 과다펴기를 발생시킨다. 손가락에 있는 모든 관절을 충분히 펴기 위해서는 내재근(벌레근과 뼈사이근)의 활동이 필요하다.

12. 새끼폄근(소지신근)

Extensor digiti minimi m.

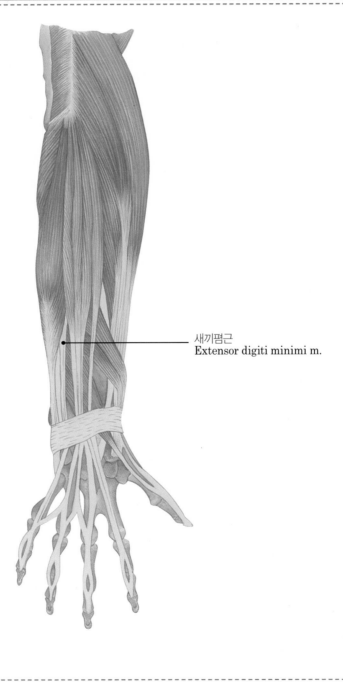

새끼폄근
Extensor digiti minimi m.

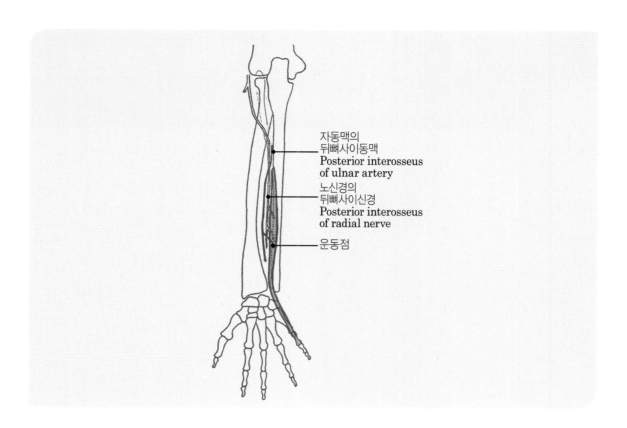

자동맥의
뒤뼈사이동맥
Posterior interosseus
of ulnar artery

노신경의
뒤뼈사이신경
Posterior interosseus
of radial nerve

운동점

◉ **시작점**　손가락폄근 힘살의 자쪽

◉ **부착점**　새끼손가락의 손가락폄근힘줄과 결합부위

◉ **신경지배**　노신경

◉ **기능**　새끼손가락 펴기

◉ **해설**　이 근육은 다섯째손가락폄근의 힘줄로 간주되는 경우가 많다.

13. 자쪽손목폄근(척측수근신근)

Extensor carpi ulnaris m.

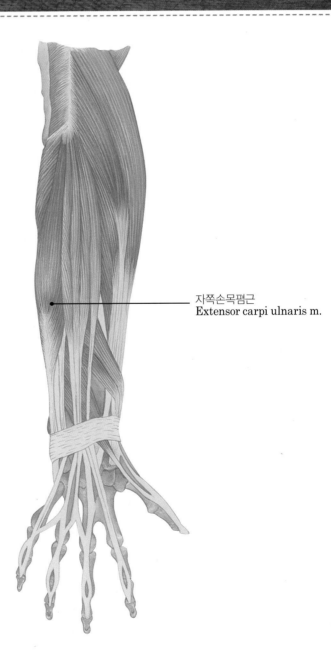

자쪽손목폄근
Extensor carpi ulnaris m.

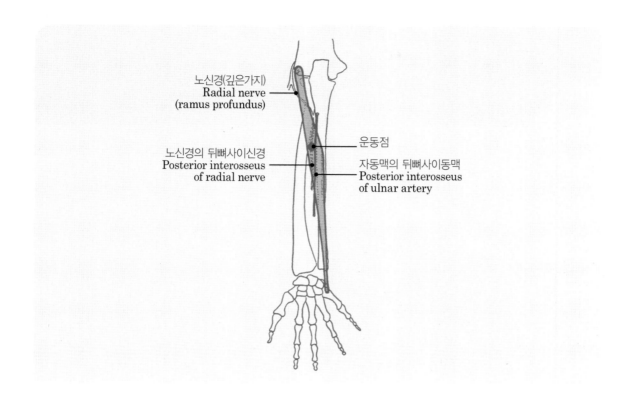

노신경(깊은가지)
Radial nerve
(ramus profundus)

노신경의 뒤뼈사이신경
Posterior interosseus
of radial nerve

운동점

자동맥의 뒤뼈사이동맥
Posterior interosseus
of ulnar artery

● **시작점** 공통의 폄근힘줄로서 위팔뼈 가쪽위관절융기 및 자뼈의 중앙 1/3 뒷면
● **부착점** 셋째손허리뼈바닥의 등쪽면
● **신경지배** 노신경
● **기능** 손목관절 펴기
　　　　　　자쪽굽히기
● **해설** 자쪽손목폄근은 손목관절을 펼 때 긴노쪽손목폄근과 짧은노쪽손목폄근이라는
　　　　　두 근육의 노쪽굽힘기능을 상쇄하는 중요한 역할을 한다. 노쪽굽힘기능을 상쇄
　　　　　함으로써 손목관절은 필요에 맞추어 시상면 위에서 순수한 펴기를 수행할 수
　　　　　있으나, 자쪽손목폄근힘줄이 파열되면 손목관절을 펼 때에 노쪽으로 굽히는 움
　　　　　직임이 발생한다.

14. 팔꿈치근(주근)
Anconeus m.

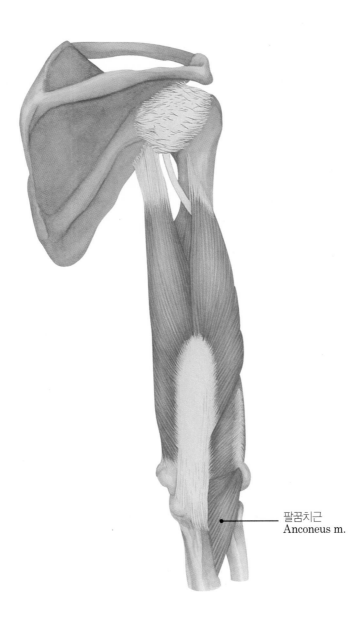

팔꿈치근
Anconeus m.

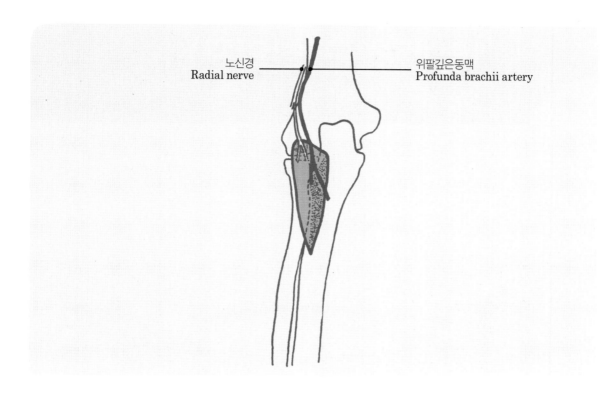

노신경
Radial nerve

위팔깊은동맥
Profunda brachii artery

● **시작점**   위팔뼈 가쪽위관절융기의 뒷면
● **부착점**   자뼈의 팔꿈치머리
● **신경지배** 노신경
● **기능**   팔꿈치 펴기
● **해설**   팔꿈치근은 삼각형의 작은 근육이다. 크기가 작기 때문에 모멘트팔도 작으나
              팔꿈치의 안쪽과 가쪽 방향의 안정성을 높여준다.

15. 뒤침근(회외근)

Supinator m.

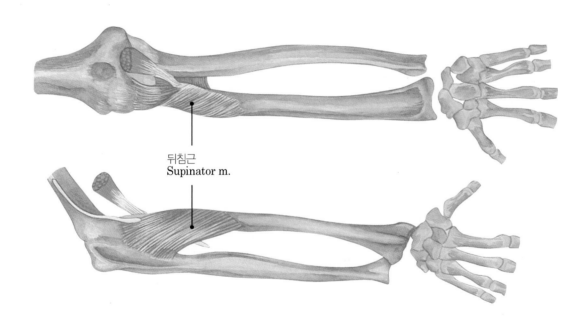

뒤침근
Supinator m.

Tips

● 팔꿈치 바깥쪽에 있으며, 노뼈머리(요골두)를 뒤쪽으로 돌려넣어 덮는다. 원엎침근(원회내근)과
네모엎침근(방형회내근)의 대항근 역할을 한다.

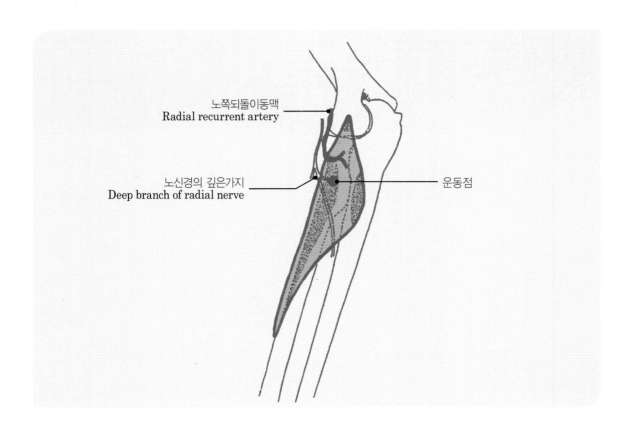

노쪽되돌이동맥
Radial recurrent artery

노신경의 깊은가지
Deep branch of radial nerve

운동점

● **시작점** 위팔뼈의 가쪽위관절융기와 자뼈의 뒤침근능선
● **부착점** 노뼈 몸쪽부분의 가쪽면
● **신경지배** 노신경
● **기능** 아래팔 뒤치기
● **해설** 엎친 자세에서는 뒤침근은 노뼈 위쪽에 휘감는 것처럼 노뼈를 뒤침위치로 회
전시키는 능력을 가지고 있다. 또한 뒤침근은 팔꿈치를 굽힐 필요가 없을 경우
약한 뒤침력을 필요로 하는 작업을 할 때에 맨 처음 반응하는 근육이다. 보다
큰 뒤침력이 필요한 경우에만 위팔두갈래근이 뒤침근을 보조한다.

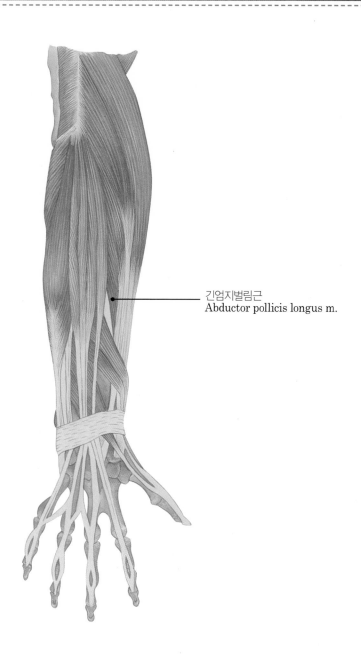

긴엄지벌림근
Abductor pollicis longus m.

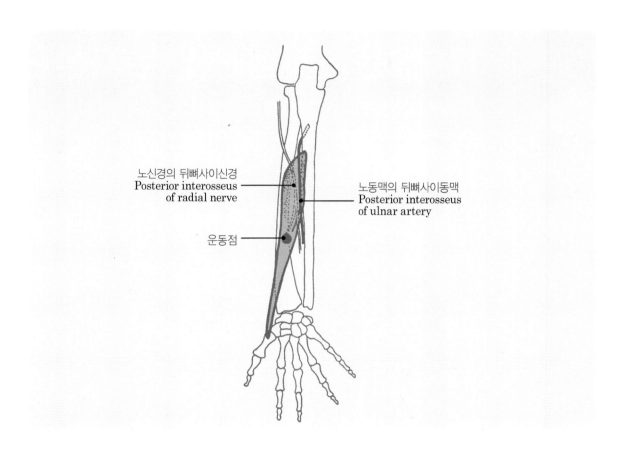

노신경의 뒤뼈사이신경
Posterior interosseus
of radial nerve

노동맥의 뒤뼈사이동맥
Posterior interosseus
of ulnar artery

운동점

◉ **시작점**　　노뼈·자뼈의 뒷면, 뼈사이막

◉ **부착점**　　엄지손허리뼈 바닥

◉ **신경지배**　노신경

◉ **기능**　　　엄지손가락의 손목손허리(CMC)관절 벌리기와 펴기

◉ **해설**　　　부착점의 위치 때문에 엄지손가락 벌리기 외에 펴기도 수행한다.

17. 짧은엄지폄근(단무지신근)
Extensor pollicis brevis m.

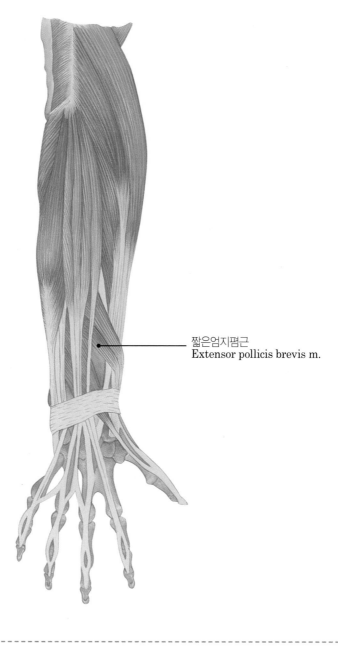

짧은엄지폄근
Extensor pollicis brevis m.

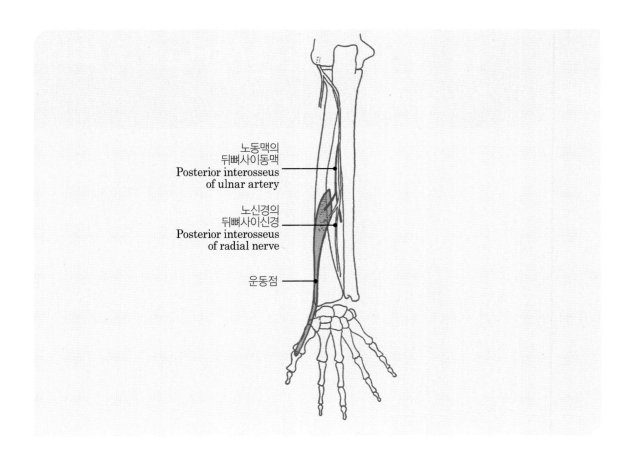

노동맥의
뒤뼈사이동맥
Posterior interosseus
of ulnar artery

노신경의
뒤뼈사이신경
Posterior interosseus
of radial nerve

운동점

● **시작점**   노뼈의 뒷면, 뼈사이막

● **부착점**   엄지첫마디뼈바닥의 등쪽

● **신경지배**   노신경

● **기능**   엄지손가락의 손허리손가락(MCP)관절 및 손목손허리(CMC)관절 펴기

● **해설**   작은 힘줄을 몇 개 가지고 있는 경우가 있다.

18. 긴엄지폄근(장무지신근)
Extensor pollicis longus m.

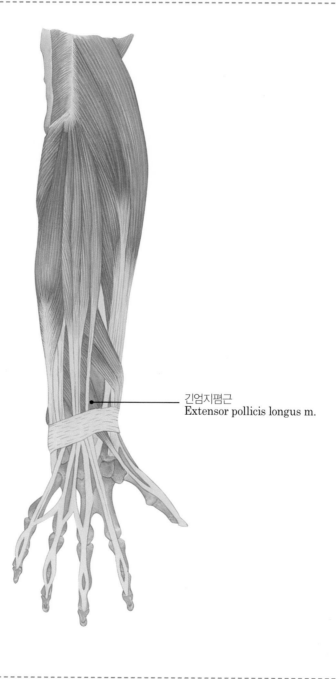

긴엄지폄근
Extensor pollicis longus m.

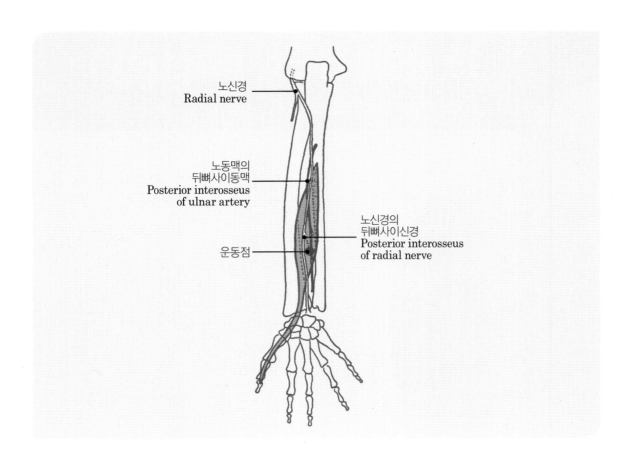

- **시작점**   자뼈의 뒷면, 뼈사이막
- **부착점**   엄지손가락끝마디뼈바닥의 등쪽
- **신경지배**   노신경
- **기능**   엄지손가락의 손가락사이(IP)관절, 손허리손가락(MCP)관절 및 손목손허리 (CMC)관절 펴기
- **해설**   엄지손가락의 손가락사이(IP)관절을 펴는 유일한 근육이며, 노신경을 기능테스트를 할 때 지표가 되는 근육 중 하나이다.

19. 집게폄근(시지신근)

Extensor indicis m.

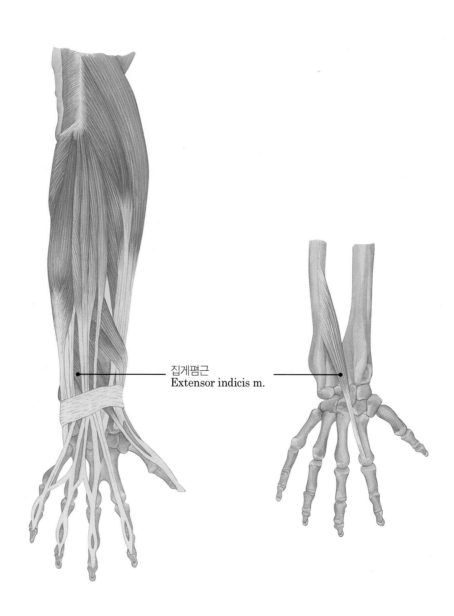

집게폄근
Extensor indicis m.

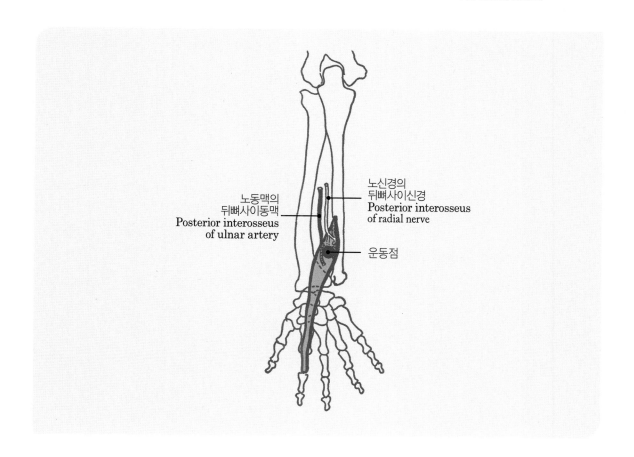

노동맥의
뒤뼈사이동맥
Posterior interosseus
of ulnar artery

노신경의
뒤뼈사이신경
Posterior interosseus
of radial nerve

운동점

● **시작점** 자뼈먼쪽의 뒷면, 뼈사이막
● **부착점** 손가락폄근의 집게손가락힘줄과 결합
● **신경지배** 노신경
● **기능** 집게손가락 펴기
● **해설** 통상적으로 집게폄근힘줄은 집게손가락의 몸쪽손가락사이(PIP)관절을 완전히
굽힌 상태에서 손허리손가락(MCP)관절을 강하게 과신장시키면 눈으로 확인할
수 있다. 집게폄근힘줄은 손가락폄근힘줄의 바로 자쪽에 위치한다.

Chapter 13
손의 근육

01. 짧은엄지벌림근(단무지외전근)

Abductor pollicis brevis m.

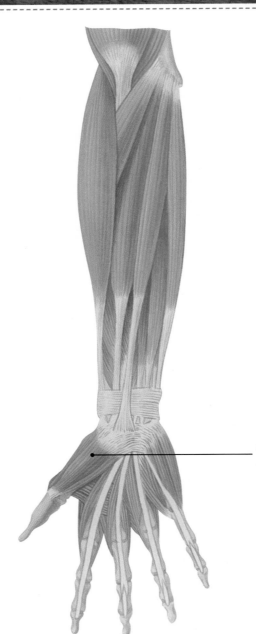

짧은엄지벌림근
Abductor pollicis brevis m.

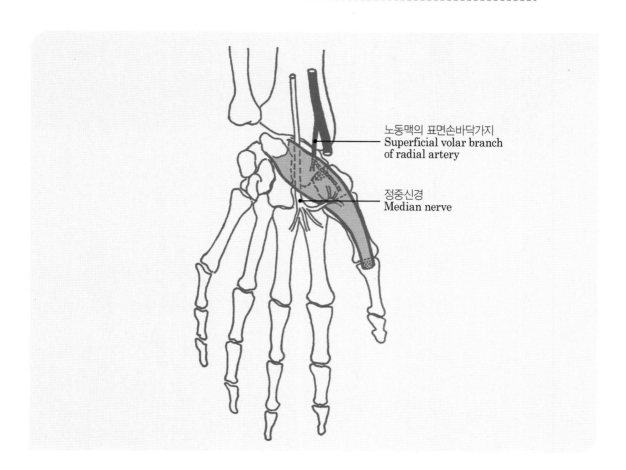

노동맥의 표면손바닥가지
**Superficial volar branch
of radial artery**

정중신경
Median nerve

● **시작점**　가로손목인대, 손배뼈, 큰마름뼈
● **부착점**　엄지손가락 첫마디뼈바닥의 노뼈쪽
● **신경지배**　정중신경의 근육가지
● **기능**　엄지손가락 벌리기, 손바닥에서 직각으로 엄지손가락을 앞쪽으로 움직인다.

02. 엄지맞섬근(무지대립근)
Opponens pollicis m.

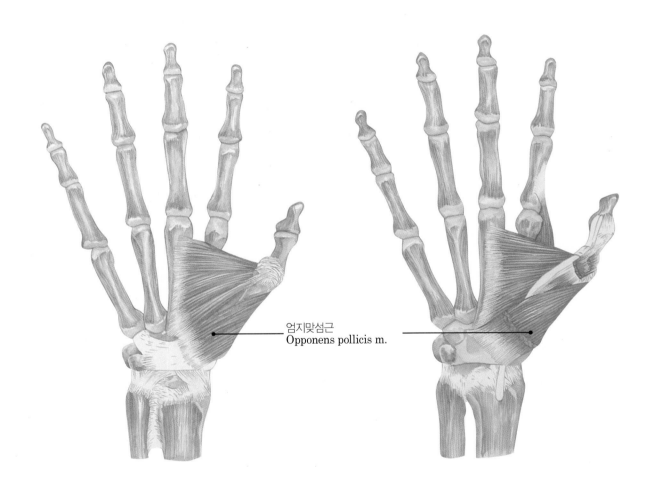

엄지맞섬근
Opponens pollicis m.

Tips

● 짧은엄지굽힘근의 노쪽에 있으면서 짧은엄지벌림근(단무지외전근)을 덮고 있다. 짧은엄지굽힘
근(단무지굴근)보다 더 깊은부위에 있으며, 직접 촉진할 수 없다.

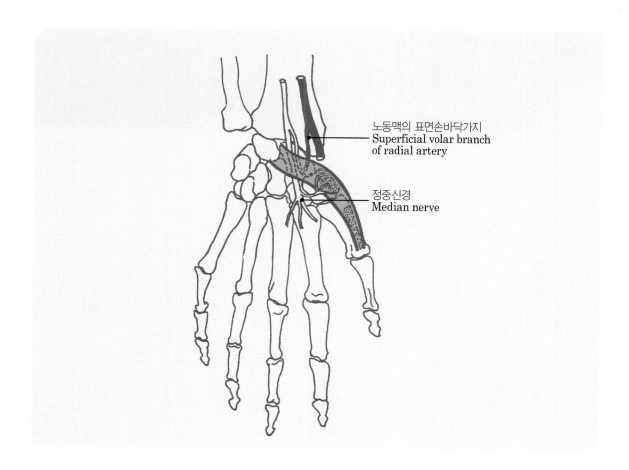

노동맥의 표면손바닥가지
Superficial volar branch of radial artery

정중신경
Median nerve

● **시작점**　가로손목인대, 큰마름뼈
● **부착점**　첫째손허리뼈앞면의 노뼈쪽
● **신경지배**　정중신경의 근육가지
● **기능**　첫째손허리뼈를 앞안쪽으로 끌어당기면서 엄지손가락을 다른 손가락과 대립시킨다.

03. 짧은엄지굽힘근(단무지굴근)
Flexor pollicis brevis m.

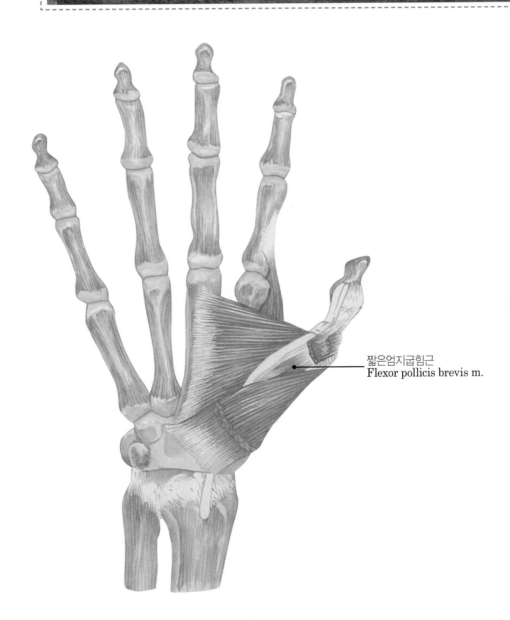

짧은엄지굽힘근
Flexor pollicis brevis m.

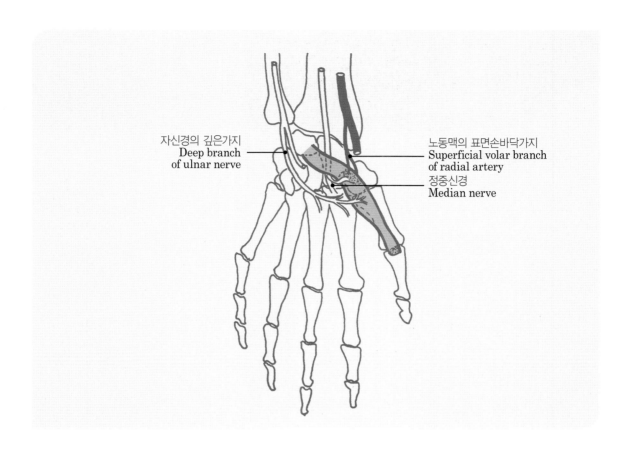

- ● **시작점**   가로손목인대, 큰마름뼈
- ● **부착점**   엄지손가락 첫마디뼈바닥
- ● **신경지배** 정중신경의 근육가지, 자신경의 깊은가지
- ● **기능**   엄지손가락 손허리손가락관절 굽히기

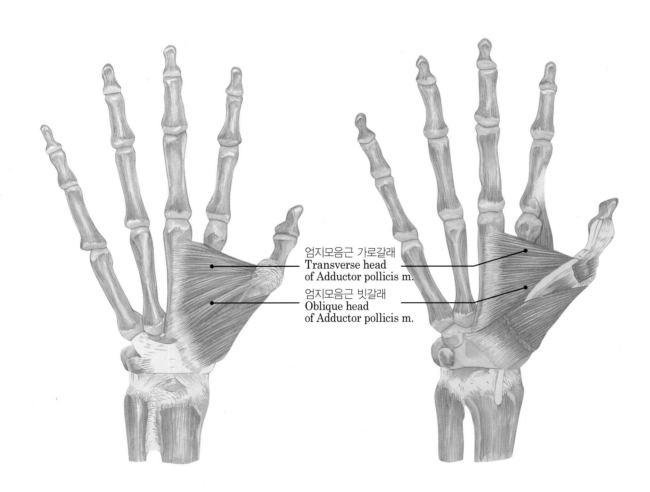

엄지모음근 가로갈래
Transverse head
of Adductor pollicis m.

엄지모음근 빗갈래
Oblique head
of Adductor pollicis m.

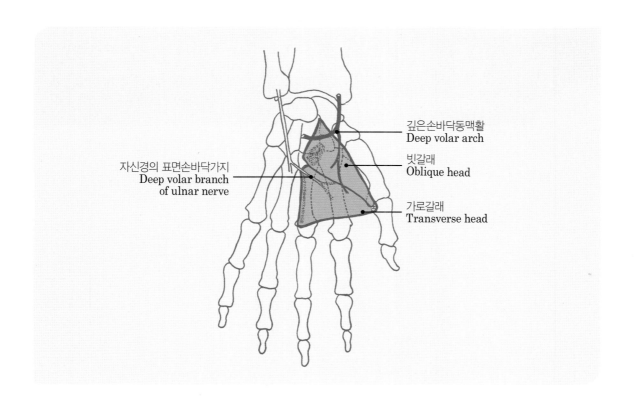

깊은손바닥동맥활
Deep volar arch

빗갈래
Oblique head

가로갈래
Transverse head

자신경의 표면손바닥가지
Deep volar branch
of ulnar nerve

● **시작점**   빗갈래   큰마름뼈, 작은마름뼈, 알머리뼈 및 둘째·셋째손허리뼈의 바닥
　　　　　　 가로갈래   셋째손허리뼈의 바닥면
● **부착점**   엄지손가락 첫마디뼈바닥의 자쪽
● **신경지배** 자신경의 깊은손바닥가지
● **기능**   엄지손가락 모으기, 엄지손가락 맞서기 보조

05. 짧은손바닥근(단장근)

Palmaris brevis m.

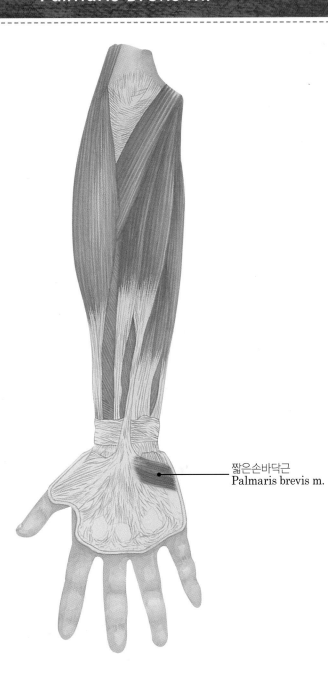

짧은손바닥근
Palmaris brevis m.

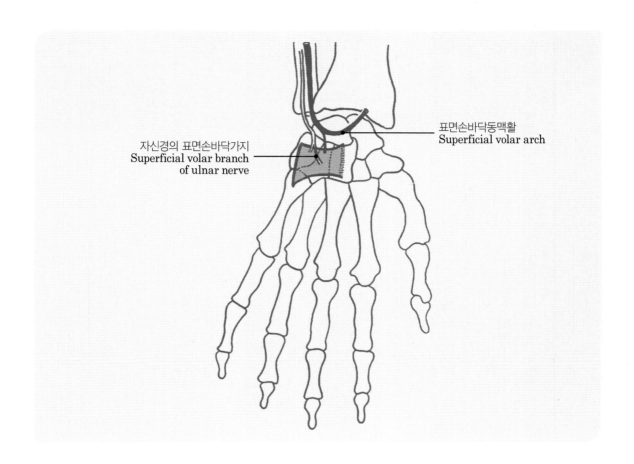

자신경의 표면손바닥가지
**Superficial volar branch
of ulnar nerve**

표면손바닥동맥활
Superficial volar arch

● **시작점**　가로손목인대의 자쪽, 손바닥널힘줄

● **부착점**　손바닥의 자쪽모서리 피부

● **신경지배**　자신경의 얕은손바닥가지

● **기능**　손바닥의 자쪽피부에 주름을 만들고, 손바닥오목을 더 깊게 만든다.

06. 새끼벌림근(소지외전근)
Abductor digiti minimi m.

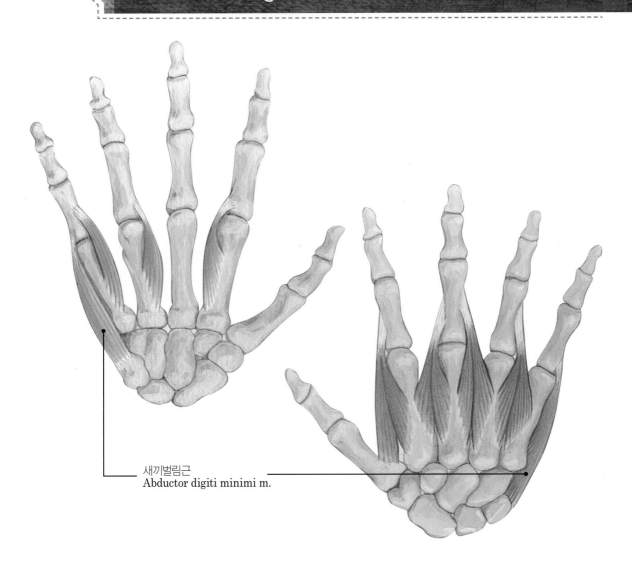

새끼벌림근
Abductor digiti minimi m.

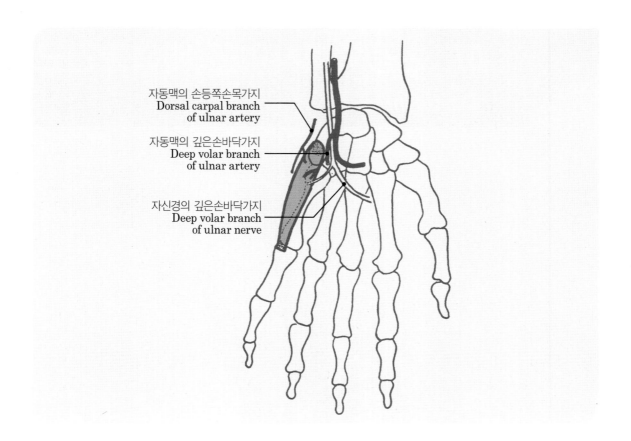

자동맥의 손등쪽손목가지
Dorsal carpal branch
of ulnar artery

자동맥의 깊은손바닥가지
Deep volar branch
of ulnar artery

자신경의 깊은손바닥가지
Deep volar branch
of ulnar nerve

● **시작점**　콩알뼈, 자쪽손목굽힘근의 힘줄
● **부착점**　새끼손가락 첫마디뼈바닥의 안쪽 및 새끼폄근의 널힘줄
● **신경지배**　자신경의 깊은손바닥가지
● **기능**　새끼손가락을 반지손가락으로부터 벌린다.

07. 손등쪽뼈사이근(배측골간근)
Dorsal interosseous m.

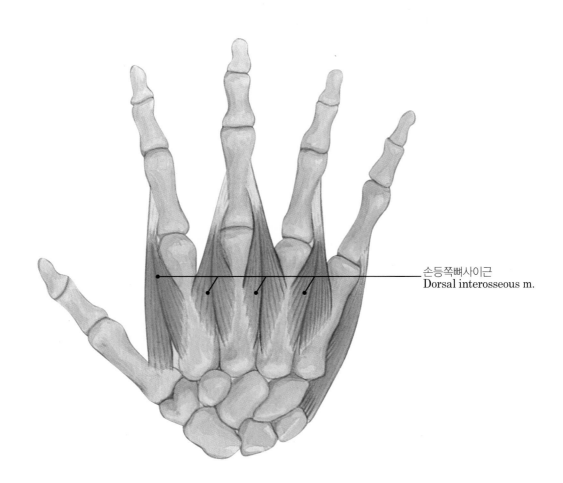

손등쪽뼈사이근
Dorsal interosseous m.

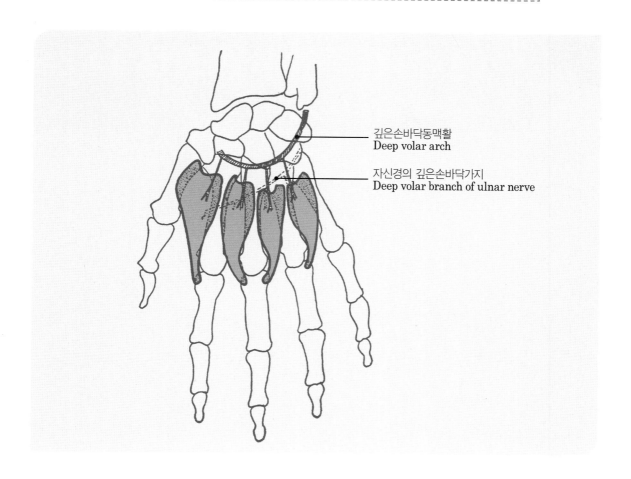

깊은손바닥동맥활
Deep volar arch

자신경의 깊은손바닥가지
Deep volar branch of ulnar nerve

- ● **시작점**　등쪽뼈사이근은 4개가 있고, 각각 이웃하는 손허리뼈의 가쪽면에서 2개의 갈래가 시작된다.
- ● **부착점**　첫째등쪽뼈사이근은 집게손가락 첫마디뼈의 노쪽에, 둘째등쪽뼈사이근은 가운데손가락 첫마디뼈의 노쪽에, 셋째등쪽뼈사이근은 가운데손가락 첫마디뼈의 자쪽에, 넷째등쪽뼈사이근은 반지손가락 첫마디뼈의 자쪽에 부착된다.
- ● **신경지배**　자신경의 깊은손바닥가지
- ● **기능**　집게손가락ㆍ가운데손가락ㆍ반지손가락을 손의 중심선부터 벌린다.

08. 손바닥쪽뼈사이근(장측골간근)
Palmar interosseous m.

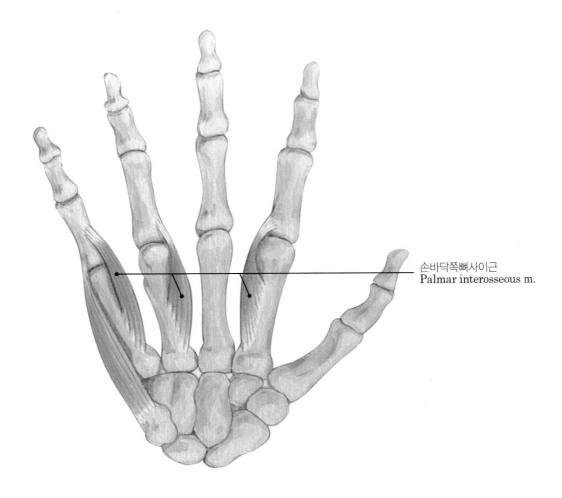

손바닥쪽뼈사이근
Palmar interosseous m.

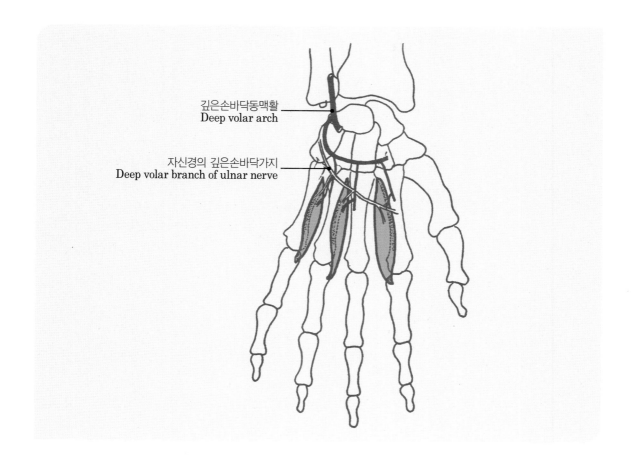

깊은손바닥동맥활
Deep volar arch

자신경의 깊은손바닥가지
Deep volar branch of ulnar nerve

● **시작점** 손바닥쪽뼈사이근은 3개로 되어 있다.

첫째손바닥쪽뼈사이근은 집게손가락 손허리뼈의 자쪽에서, 둘째손바닥쪽뼈사이근은 반지손가락 손허리뼈의 노쪽에서, 셋째손바닥쪽뼈사이근은 새끼손가락 손허리뼈의 노쪽에서 시작된다.

● **부착점** 첫째손바닥쪽뼈사이근은 집게손가락 첫마디뼈의 자쪽에, 둘째손바닥쪽뼈사이근은 반지손가락 첫마디뼈의 노쪽에, 셋째손바닥쪽뼈사이근은 새끼손가락 첫마디뼈의 노쪽에 부착된다.

● **신경지배** 자신경의 깊은손바닥가지

● **기능** 각각의 근육이 부착되어 있는 손가락을 가운데손가락쪽으로 모은다.

Chapter 14
엉덩부위의 근육

01. 큰허리근(대요근)
Psoas major m.

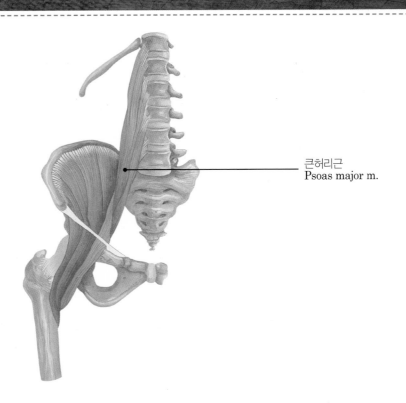

큰허리근
Psoas major m.

Tips

● 가장 강력한 엉덩관절굽힘근육으로 큰허리근(대요근) · 작은허리근(소요근) · 엉덩근(장골근)을 합쳐서 엉덩허리근(장요근)이라 한다.

● 배곧은근(복직근), 허리네모근(요방형근)과 같이 골반부위의 균형을 잡아주는 중요한 근육이다.

● 엉덩허리근의 위치가 오름주름창자의 맹장 부분과 같은 위치에 있어 이 근육에 문제가 생기면 맹장염으로 오인받기도 한다.

● 배근육이 약해지면 내장이 밀고 나오는 힘에 의해 엉덩허리근에 압박이 온다.

● 미용학적으로는 통증(허리통증 등 모든 수기법의 기본요법)을 잡는 첫 번째 근육이다.

● 사이클선수처럼 허리를 구부리는 동작은 이 근육을 단축시킨다. 침대에 누워 다리를 늘어뜨리는 동작으로 스트레칭하면 이 근육의 단축이 완화된다.

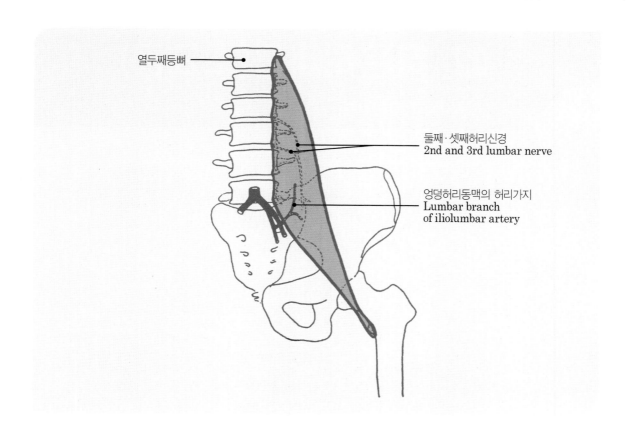

열두째등뼈

둘째·셋째허리신경
2nd and 3rd lumbar nerve

엉덩허리동맥의 허리가지
Lumbar branch
of iliolumbar artery

● **시작점**   엉덩뼈오목
● **먼쪽부착점** 넙다리뼈작은돌기
● **몸쪽부착점** T12~T15의 가로돌기, 엉덩근
● **신경지배**   넙다리신경
● **기능**   엉덩관절 굽히기
          몸통 굽히기
          골반 앞기울이기
● **해설**   배부위의 근육은 골반을 뒤로 기울이며, 엉덩허리근은 골반을 앞으로 기울인
          다. 두 근육이 함께 활동함으로써 골반을 시상면에서 단단히 안정시킨다.

02. 작은허리근(소요근)

Psoas minor m.

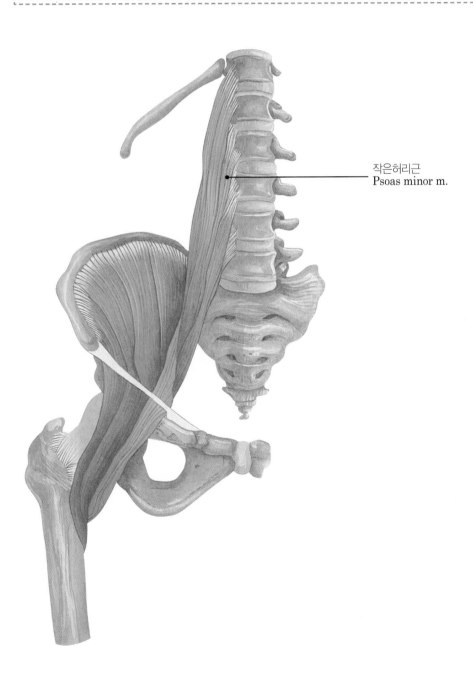

작은허리근
Psoas minor m.

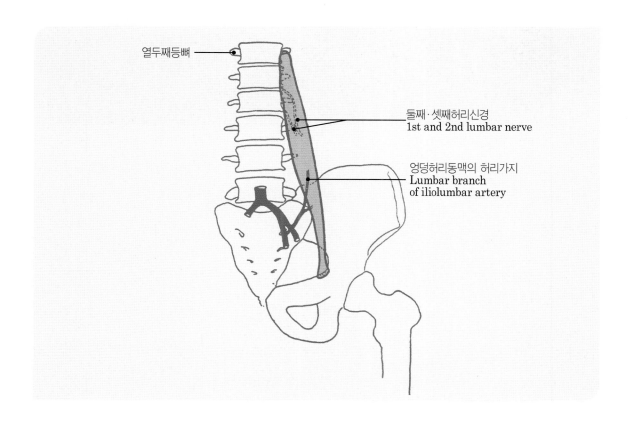

- **시작점**　열두째등뼈 및 첫째허리뼈와 그 척추사이원반 가쪽면
- **부착점**　두덩근선, 엉덩두덩융기
- **신경지배**　첫째 · 둘째허리신경
- **기능**　척주에 맞서 골반을 굽힌다.

03. 엉덩근(장골근)
Iliacus m.

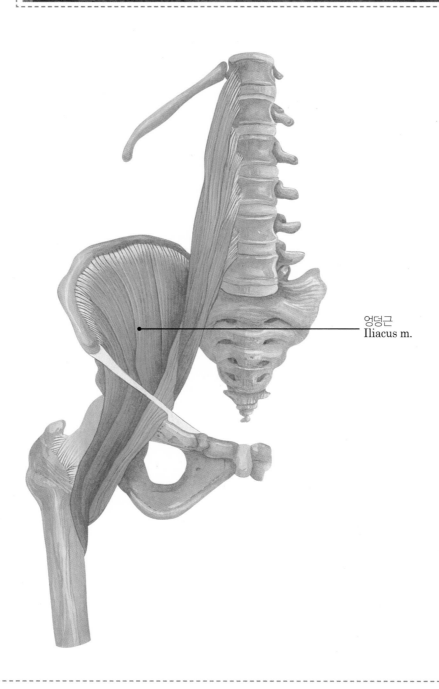

엉덩근
Iliacus m.

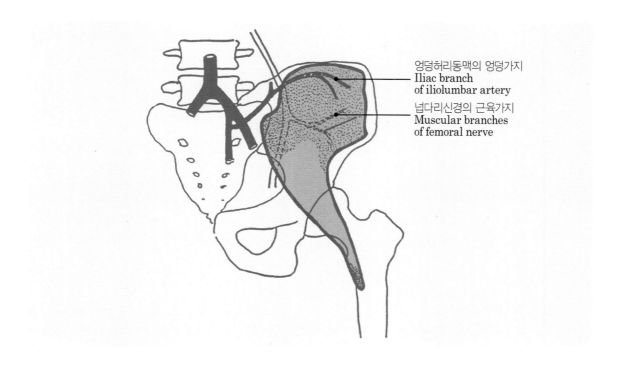

엉덩허리동맥의 엉덩가지
Iliac branch
of iliolumbar artery

넙다리신경의 근육가지
Muscular branches
of femoral nerve

● **시작점**　엉덩뼈오목 위 2/3, 엉덩뼈능선, 앞엉치엉덩인대
● **부착점**　큰허리근힘줄, 작은돌기, 엉덩관절주머니, 넙다리뼈몸통(큰허리근과 함께 엉덩
　　　　　　허리근을 형성한다)
● **신경지배**　넙다리신경의 근육가지
● **기능**　　엉덩관절 굽히기, 다리를 고정했을 때에는 골반을 앞쪽으로 기울인다.

Chapter 15
넙다리의 근육

01. 넙다리빗근(봉공근)
Sartorius m.

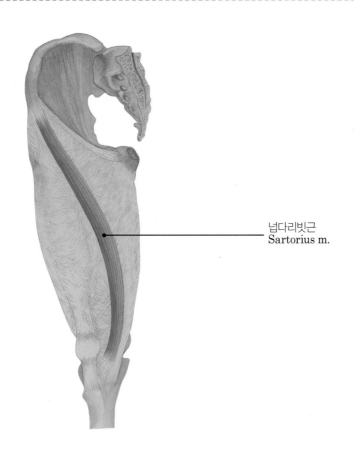

넙다리빗근
Sartorius m.

Tips

- 옛이름인 봉공근은 재단사라는 의미로, 3개의 관절을 통과하는 근육이다.
- 인체에서 가장 긴 근육이며, 제기차기 등의 동작에 주로 쓰이는 근육이다.
- 양반다리를 하고 앉을 때 긴장성이 증가된다.
- 넙다리 안쪽의 동맥, 정맥의 흐름이 있고, 림프가 있는 곳이기에 순환기장애에 영향을 준다.
- 신경의 흐름으로 여성들은 생리 시에 통증이 있을 수 있다.
- 다리 및 무릎의 변형에 관련된 근육이다.

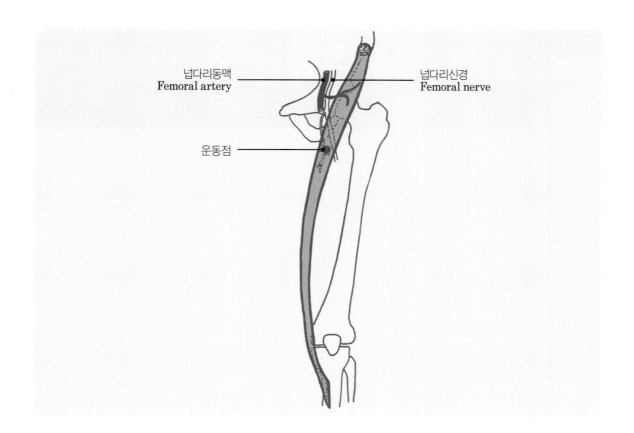

- ⬤ **시작점**   위앞엉덩뼈가시
- ⬤ **부착점**   정강뼈거친면의 안쪽(거위발 형성). 정강뼈 몸쪽부분의 안쪽면에서 합류한다. 넙다리빗근, 두덩정강근, 반힘줄모양근의 3개로 나누어진 모양을 나타낸다.
- ⬤ **신경지배**   넙다리신경
- ⬤ **기능**   엉덩관절 굽히기/엉덩관절 벌리기/엉덩관절 가쪽돌리기/무릎관절 굽히기/무릎관절 안쪽돌리기
- ⬤ **해설**   넙다리빗근은 인체에서 가장 긴 근육이다. 넙다리빗근은 넙다리 앞면을 대각선으로 가로질러 휘감고 있고, 엉덩관절 앞쪽과 무릎관절 뒤쪽의 안쪽–가쪽축에서 교차한다. 넙다리빗근은 엉덩관절 굽히기와 무릎관절 굽히기라는 반대기능을 가지고 있다. 넙다리빗근의 움직임을 떠올리지 못할 때에는 한쪽 발꿈치를 위로 향하게 하여 반대쪽 정강뼈 위에서 미끄러지게 해보자. 발꿈치가 무릎에 닿았을 때의 위치가 해답을 알려줄 것이다. 이 해답이란 엉덩관절 굽히기에 동반된 가쪽돌리기와 벌리기 및 무릎관절 굽히기이다.

02. 두덩정강근(박근)

Gracilis m.

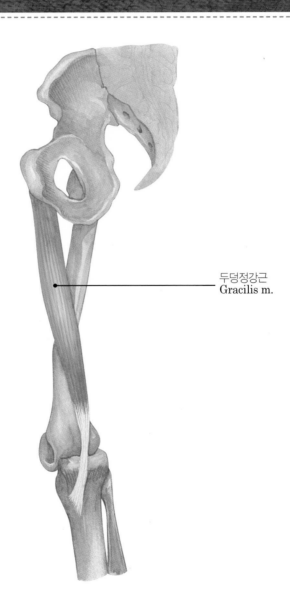

두덩정강근
Gracilis m.

Tips

● 넙다리 안쪽을 주행하는 띠 모양의 근육으로 2관절근이다.

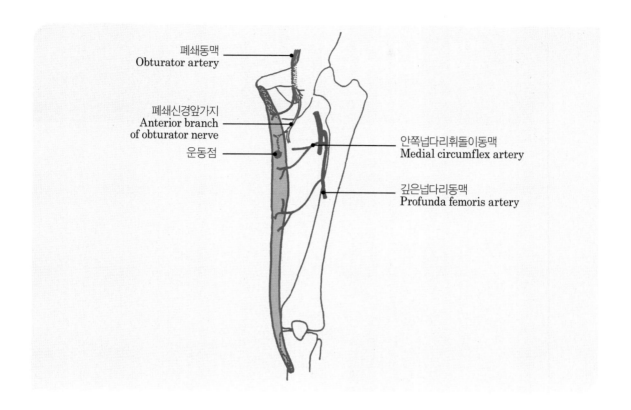

● **시작점**   두덩뼈몸통과 다리

● **부착점**   정강뼈의 몸쪽안쪽면(거위발)

● **신경지배**   폐쇄신경

● **기능**   엉덩관절 모으기/엉덩관절 굽히기/무릎관절 굽히기/무릎관절 안쪽돌리기

● **해설**   두덩정강근이라는 단어는 '가냘프고 우아한(gracile)'이라는 단어와 관련이 있다. 두덩정강근에 부착된 힘줄은 거위발(아족)의 일부를 형성하여 무릎관절 안쪽에 지지성을 부여한다.

03. 넙다리곧은근(대퇴직근)

Rectus femoris m.

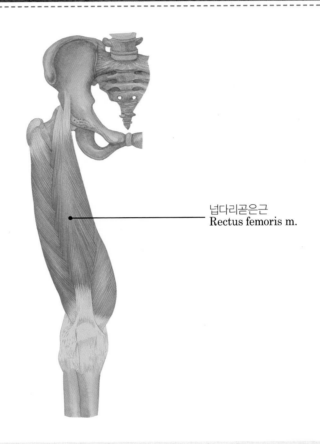

넙다리곧은근
Rectus femoris m.

Tips

- 넙다리네갈래근을 구성하는 근육[넙다리곧은근(대퇴직근)·안쪽넓은근(내측광근)·가쪽넓은근
  (외측광근)·중간넓은근(중간광근)] 중의 하나이다. 넙다리네갈래근은 넙다리 앞면에 있는 강
  력한 근육으로, 무릎을 똑바로 올렸다내리는 역할을 한다.
- 높은 곳에 오를 때 체중의 쏠림으로 큰 부하가 걸리는 근육이다.
- 2개 관절의 움직임에 관여한다.
- 골반의 변형인 허리뼈전만에 영향을 준다.
- 앉았다 일어날 때 무릎을 짚고 일어나면 이 근육에 문제가 있다고 볼 수 있다.
- 무릎통증과 관련이 깊다.

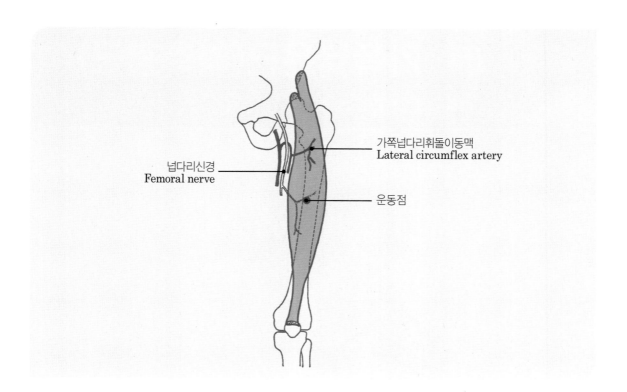

넙다리신경
Femoral nerve

가쪽넙다리휘돌이동맥
Lateral circumflex artery

운동점

● **시작점** 아래앞엉덩뼈가시

● **부착점** 정강뼈거친면

● **신경지배** 넙다리신경

● **기능** 무릎관절 펴기
　　　　　엉덩관절 굽히기

● **해설** 이 근육은 엉덩관절과 무릎관절의 앞쪽에 있기 때문에 엉덩관절의 굽힘근과 무
　　　　릎관절의 폄근으로 활동한다. 이 긴 깃근육은 엉덩관절을 펴서 무릎관절을 굽
　　　　히는 무릎굽힘근군(hamstrings)과 대비된다. 단 하나의 대항근이다.

04. 가쪽넓은근(외측광근)
Vastus lateralis m.

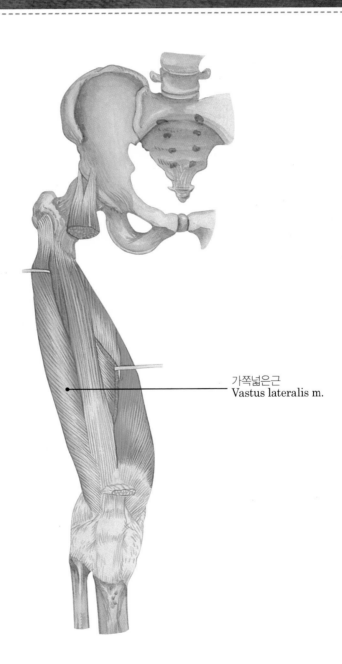

가쪽넓은근
Vastus lateralis m.

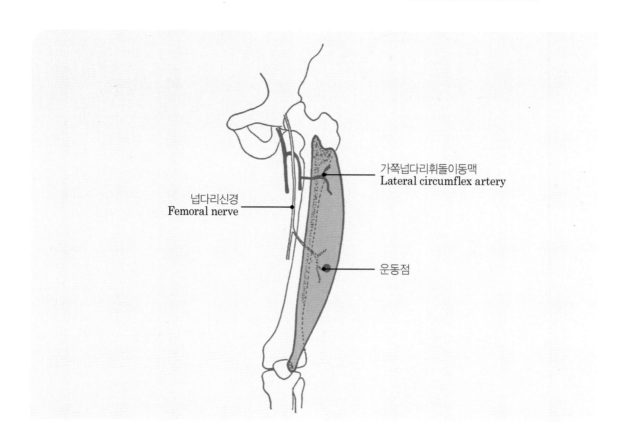

넙다리신경
Femoral nerve

가쪽넙다리휘돌이동맥
Lateral circumflex artery

운동점

- **시작점** 넙다리뼈몸통 거친선 가쪽선, 넙다리뼈 돌기사이, 큰돌기의 가쪽부분
- **부착점** 정강뼈거친면
- **신경지배** 넙다리신경
- **기능** 무릎관절 펴기
- **해설** 가쪽넓은근은 넙다리네갈래근 중에서 가장 큰 근육이기 때문에 근력이 가장 세다. 이 근육이 발생시키는 근력의 특징은 견인의 방향이 가쪽으로 향하는 것이다. 이러한 가쪽으로 향하는 견인의 힘이 안쪽넓은근이 안쪽으로 견인하는 힘보다도 크기 때문에 안쪽—가쪽 방향의 힘의 균형이 무너진다. 이 균형의 붕괴가 무릎뼈의 이상한 움직임이나 가쪽방향으로의 무릎뼈탈구가 일어나기 쉬운 이유 중의 하나이다.

05 안쪽넓은근(내측광근)

Vastus medialis m.

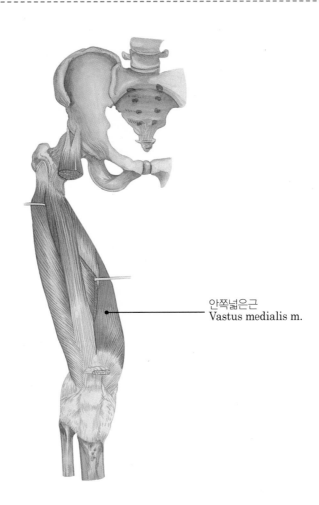

안쪽넓은근
Vastus medialis m.

Tips

- 이 근육의 근력이 약해지면 X다리가 되기 쉽다.
- 무릎을 가쪽으로 돌릴 때 무릎에 통증이 오며, 외반무지처럼 발 안쪽에 체중이 쏠린다.
- 무릎근력강화를 위해 무릎밑에 수건을 넣고 다리를 뻗어올리는 동작을 한다.
- 무릎뼈의 균형, O다리, X다리에 관여한다.

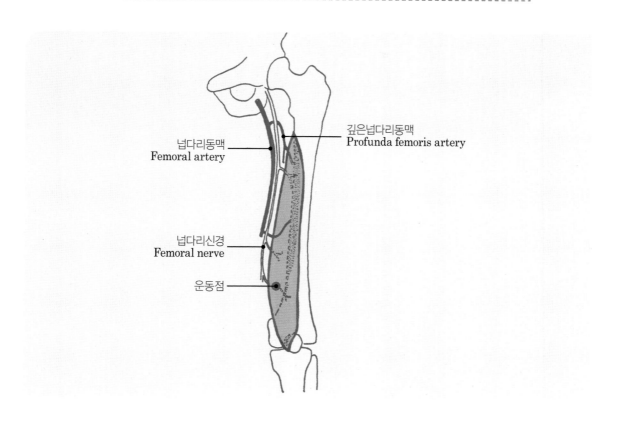

- 🔵 **시작점** 넙다리뼈몸통 거친선 안쪽선과 넙다리뼈돌기사이
- 🔵 **부착점** 정강뼈거친면
- 🔵 **신경지배** 넙다리신경
- 🔵 **기능** 무릎관절 펴기
- 🔵 **해설** 이 근육은 무릎뼈에서 먼쪽으로 주행하며, 2개의 다른 근육섬유의 그룹이다. 긴안쪽넓은근과 빗안쪽넓은근으로 나누어진다. 이 긴안쪽넓은근의 섬유는 정중선에서 약 18° 아래가쪽으로 주행하므로 이 근육이 무릎관절을 펴는 근력의 활동방향은 그 대부분이 넙다리뼈와 병행하거나 가까운 방향으로 활동한다. 그런데 빗안쪽넓은근은 정중선에서 대략 50~55°의 각도로 무릎뼈에 결합된다. 빗안쪽넓은근의 대각선 방향의 근력은 무릎뼈를 안쪽으로 잡아당기듯이 활동하며, 안쪽넓은근보다 큰 힘의 강한 가쪽넓은근의 근력에 의하여 무릎뼈가 가쪽방향으로 잡아당겨지는 것에 대항한다. 이러한 두 가지 힘이 무릎관절에서 평형상태를 유지함으로써 결과적으로 무릎뼈는 최적의 위치에서 활동할 수 있다.

06 중간넓은근(중간광근)

Vastus intermedius m.

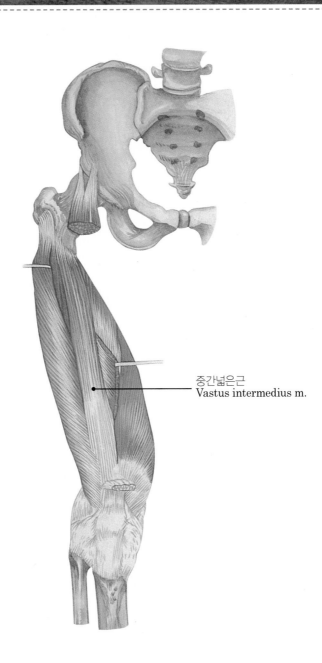

중간넓은근
Vastus intermedius m.

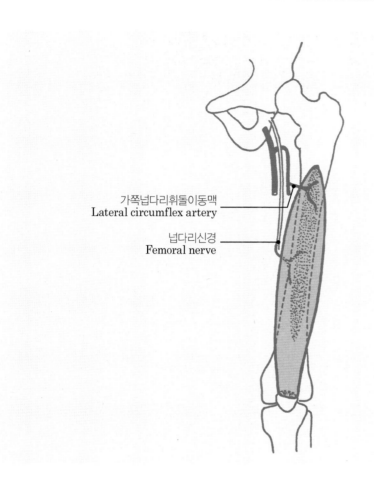

가쪽넙다리휘돌이동맥
Lateral circumflex artery

넙다리신경
Femoral nerve

● **시작점**　넙다리뼈 앞면의 위 2/3

● **부착점**　정강뼈거친면

● **신경지배**　넙다리신경

● **기능**　무릎관절 펴기

● **해설**　중간넓은근은 넙다리네갈래근 중에서 가장 깊은부위에 있으며, 넙다리곧은근
　　　　　바로 아래에 위치한다.

무릎관절의 굽힘근무리

무릎관절의 굽힘근무리에는 무릎굽힘근무리(hamstrings), 두덩정강근, 넙다리빗근, 장딴지근, 장딴지빗근, 오금근이 있다. 매우 흥미로운 사실은 이러한 무릎관절의 굽힘근무리는 대부분 무릎관절을 모으거나 가쪽으로 돌리는 근육이기도 하다는 것이다.
무릎관절을 굽히는 데 관여하는 근육은 다음과 같다.

➔ 반막모양근   ➔ 반힘줄모양근
➔ 넙다리두갈래근 : 긴갈래와 짧은갈래   ➔ 두덩정강근과 넙다리빗근
➔ 장딴지근과 장딴지빗근   ➔ 오금근

▣ 햄스트링스(hamstrings)

반힘줄모양근(semitendinosus m.), 반막모양근(semimembranosus m.), 넙다리두갈래근(짧은갈래와 긴갈래의 2개의 근육)의 4개 근육을 합하여 햄스트링스(무릎굽힘근군)라고 부른다.
무릎굽힘근무리는 넙다리 뒷면에 있는 주요 무릎관절의 굽힘근이다. 넙다리두갈래근의 짧은갈래를 제외한 무릎굽힘근무리는 엉덩관절 펴기와도 관련이 있다. 왜냐하면 이 3개의 근육은 무릎관절과 마찬가지로 엉덩관절에도 뻗어 있기 때문에 엉덩관절과 무릎관절을 굽힘으로써 이러한 근육의 길이를 조절할 수 있다. 그 때문에 무릎굽힘근무리의 길이의 변화와 무릎굽힘근무리가 발생시키는 근력은 엉덩관절의 굽힘각도에 의존한다.

 햄스트링스(무릎굽힘근무리)

근육	시작점	부착점	기능	신경지배
반힘줄모양근	» 궁둥뼈결절	» 정강뼈의 몸쪽 안쪽면 (안쪽을 경유)	» 엉덩관절의 폄 » 무릎관절의 굽힘 » 무릎관절의 안쪽돌림	정강신경(궁둥신경)
반막모양근	» 궁둥뼈결절	» 정강뼈 안쪽관절융기의 뒷면	» 엉덩관절의 폄 » 무릎관절의 굽힘 » 무릎관절의 안쪽돌림	정강신경(궁둥신경)
넙다리두갈래근 긴갈래	» 궁둥뼈결절	» 종아리뼈머리	엉덩관절의 폄 무릎관절의 굽힘 무릎관절의 가쪽돌림	정강신경(궁둥신경)
넙다리두갈래근 짧은갈래	» 넙다리뼈몸통 거친선 가쪽선	» 종아리뼈머리	» 무릎관절의 굽힘 » 무릎관절의 가쪽돌림	온종아리신경(궁둥신경)

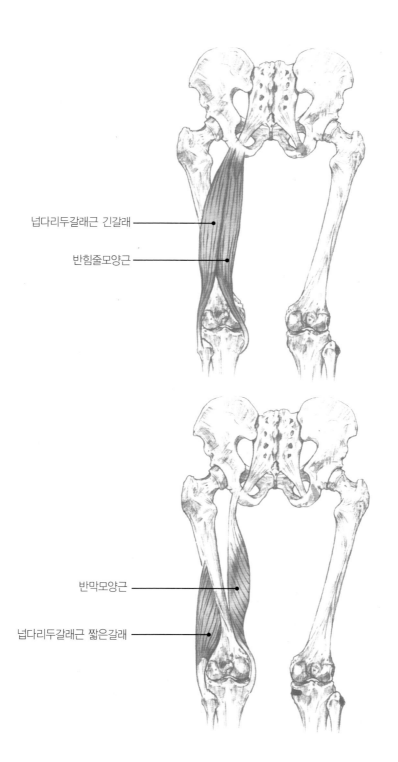

넙다리두갈래근 긴갈래

반힘줄모양근

반막모양근

넙다리두갈래근 짧은갈래

07 두덩근(치골근)
Pectineus m.

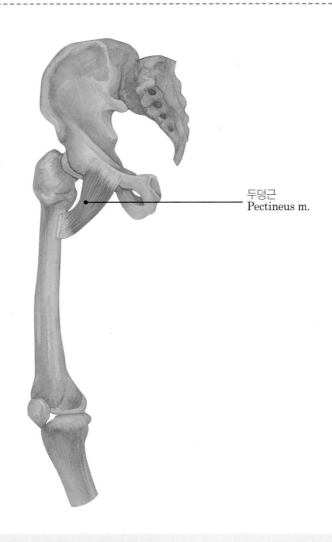

두덩근
Pectineus m.

Tips

- 다리를 꼬고 앉을 때 주로 작용하는 근육이다.
- 보폭을 크게 하고 걷거나 태권도 동작을 할 때 손상되기 쉽다.
- 발기부전, 조루 등 남성들의 성기능과 관련이 깊은 근육이다.
- 두덩근에 이상이 있으면 승마, 사이클 등 엉덩이를 들고 타는 운동 시에 통증이 있다.

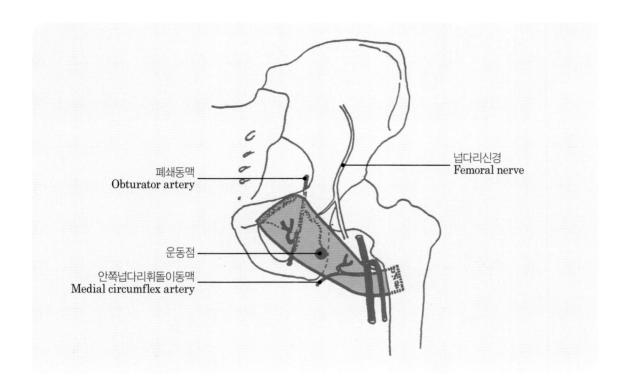

폐쇄동맥
Obturator artery

넙다리신경
Femoral nerve

운동점

안쪽넙다리휘돌이동맥
Medial circumflex artery

⬤ **시작점**　두덩뼈위가지의 두덩근막
⬤ **부착점**　넙다리뼈 뒷면의 두덩근선
⬤ **신경지배**　폐쇄신경
⬤ **기능**　엉덩관절 모으기
　　　　　엉덩관절 굽히기
⬤ **해설**　큰모음근군 중에서 가장 위쪽에 있는 편평한 4각형의 근육으로, 짧은 직사각형
　　　　의 두덩근(치골근)은 엉덩관절모음근 중에서 넙다리뼈의 가장 몸쪽에 부착된다.

08 긴모음근(장내전근)
Adductor longus m.

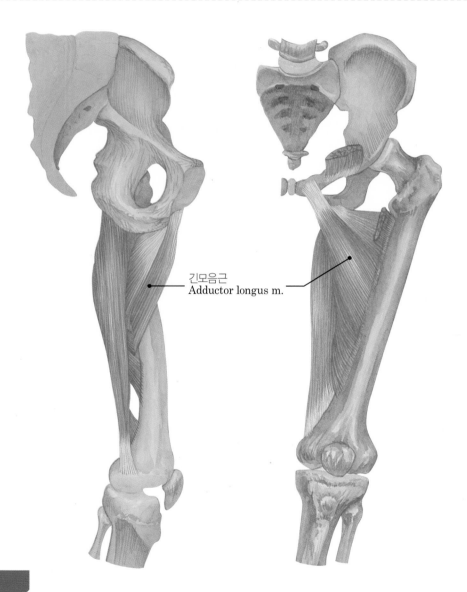

긴모음근
Adductor longus m.

Tips

● 긴 · 짧은모음근은 넙다리를 끌어당겨 접는 동작에 작용하며, 허리의 회전에 영향을 준다.

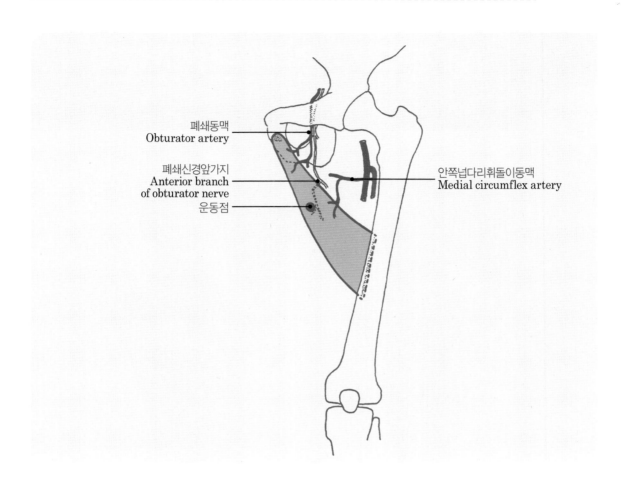

폐쇄동맥
Obturator artery

폐쇄신경앞가지
Anterior branch
of obturator nerve

운동점

안쪽넙다리휘돌이동맥
Medial circumflex artery

◉ **시작점**   두덩뼈몸통의 앞면

◉ **부착점**   넙다리뼈 거친면의 중앙 1/3

◉ **신경지배** 폐쇄신경

◉ **기능**   엉덩관절 모으기

               엉덩관절 굽히기

◉ **해설**   가장 표면층에 있는 모음근 중 하나이다. 긴모음근은 넙다리 가장 안쪽의 표면
               을 주행하는 큰 삼각형의 근육이고, 짧은모음근은 편평한 삼각형의 근육으로 긴
               모음근을 덮고 큰모음근의 앞면에 있다. 큰모음근은 엉덩관절모음근육군 중에서
               가장 큰 근육이다.

09 짧은모음근(단내전근)
Adductor brevis m.

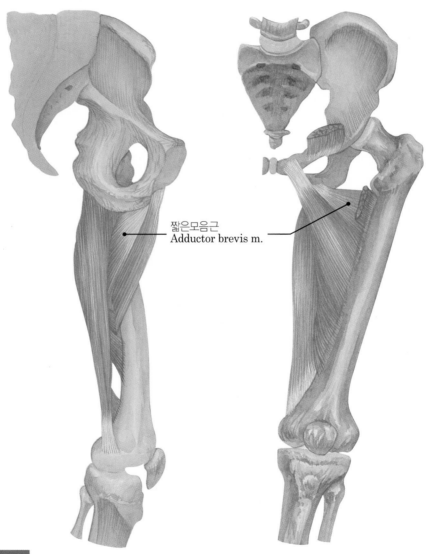

짧은모음근
Adductor brevis m.

Tips

● 긴 · 짧은모음근은 넙다리를 끌어당겨 접는 동작에 작용하며, 허리의 회전에 영향을 준다.

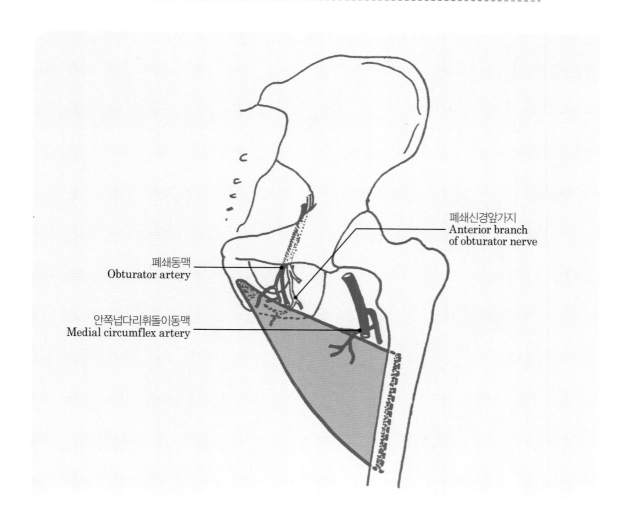

폐쇄신경앞가지
Anterior branch
of obturator nerve

폐쇄동맥
Obturator artery

안쪽넙다리휘돌이동맥
Medial circumflex artery

- 🔵 **시작점** 두덩뼈아래가지의 앞면
- 🔵 **부착점** 넙다리뼈 거친면의 몸쪽 1/3
- 🔵 **신경지배** 폐쇄신경
- 🔵 **기능** 엉덩관절 모으기

    엉덩관절 굽히기
- 🔵 **해설** 짧은모음근은 모음근의 중간층을 차지한다. 정확히 큰모음근의 깊은부위에 위치한다.

10. 큰모음근(대내전근)
Adductor magnus m.

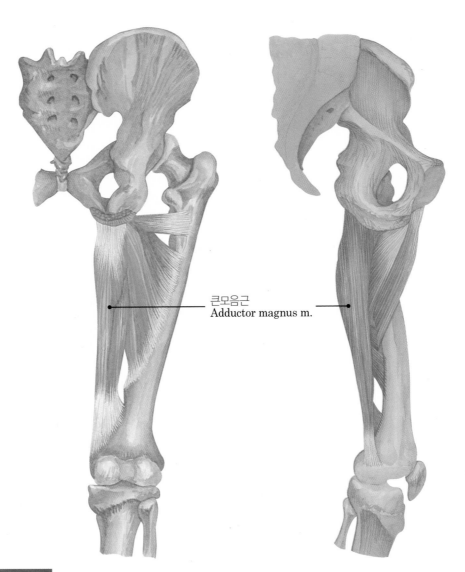

큰모음근
Adductor magnus m.

Tips

● 큰모음근은 엉덩관절모음근육군 중에서 가장 큰 근육이다.

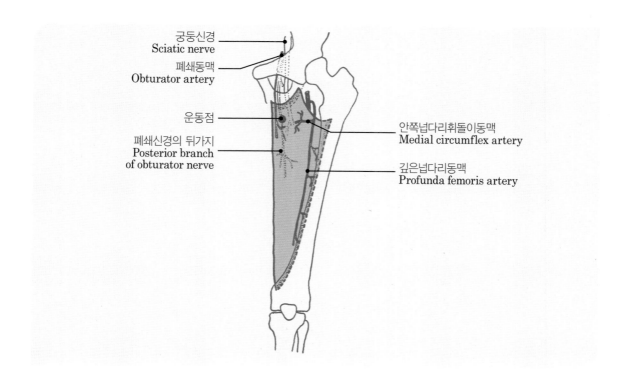

뒷부분(펴는 부분)

- ◉ **시작점** 궁둥뼈결절
- ◉ **부착점** 넙다리뼈의 먼쪽부분의 내결절
- ◉ **신경지배** 정강신경(궁둥신경)
- ◉ **기능** 엉덩관절 펴기
  엉덩관절 모으기

앞부분(모으는 부분)

- ◉ **시작점** 궁둥뼈가지
- ◉ **부착점** 넙다리뼈 거친면
- ◉ **신경지배** 폐쇄신경
- ◉ **기능** 엉덩관절 모으기
  엉덩관절 굽히기

- ◉ **해설** 큰모음근은 모음(앞)갈래와 폄(뒤)갈래의 두 가지 다른 갈래를 가지고 있다. 둘 다 엉덩관절의 주요 모음근이다. 그러나 폄(뒤)갈래는 신경지배(궁둥신경), 엉덩관절의 폄능력, 시작점의 세 가지는 무릎굽힘근군(hamstrings)과 유사하다. 한편 모음(앞)갈래는 신경지배(폐쇄신경), 엉덩관절의 굽힘능력, 시작점의 세 가지가 짧은모음근과 유사하다.

Chapter 16
볼기의 근육

01. 큰볼기근(대둔근)

Gluteus maximus m.

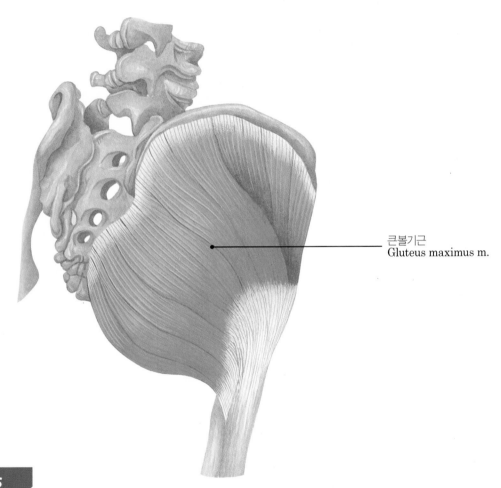

큰볼기근
Gluteus maximus m.

Tips

- 큰볼기근은 허리와 다리의 통증 치료와 미용학적 측면에서 중요하다.
- 걸을 때 큰허리근의 대항근이 되며, 엉덩관절을 펴주는 강력한 기능이 있다.
- 다리쪽에 나타나는 대부분의 증상을 치료할 때 반드시 살펴보고 느껴봐야 할 근육이며, 궁둥신경 에너지 흐름의 포인트이다.
- 근력이 떨어지면 힙 라인이 사라지면서 일자 엉덩이로 변하게 된다.

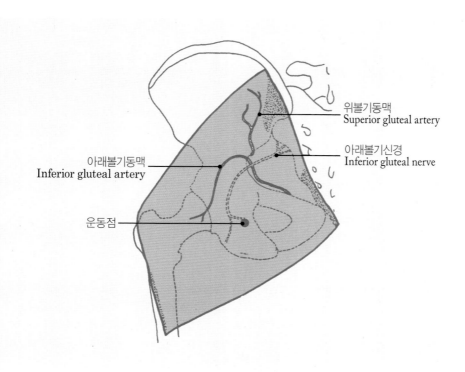

위볼기동맥
Superior gluteal artery

아래볼기신경
Inferior gluteal nerve

아래볼기동맥
Inferior gluteal artery

운동점

● **시작점**   뒤엉덩뼈, 엉치뼈, 꼬리뼈, 엉치결절 및 엉치엉덩인대

● **부착점**   엉덩정강근막띠와 볼기근 거친면

● **신경지배** 아래볼기신경

● **기능**   엉덩관절 펴기

　　　　　　엉덩관절 가쪽돌리기

　　　　　　골반 뒤기울이기

　　　　　　다리에 대한 몸통 펴기

● **해설**   큰볼기근은 엉덩관절이 강력한 폄근으로, 언덕길을 오르거나 가파른 계단을 오
르는 것과 같이 중력에 대항하는 활동을 할 때 필요하다. 볼기부위를 둘러싸고
있는 넓고 큰 근육섬유다발로, 볼기부위의 반 이상을 차지하고 있다. 중간볼기
근 뒷부분·아랫부분 및 작은볼기근을 덮고 있다.

02. 중간볼기근(중둔근)
Gluteus medius m.

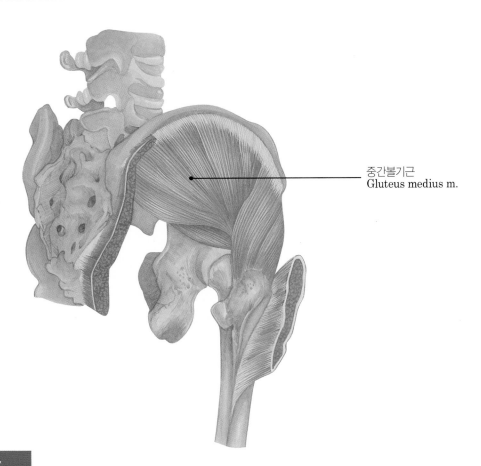

중간볼기근
Gluteus medius m.

Tips

● 보행 시 다리의 균형을 잡아주며, O다리와 X다리 교정을 위해서도 반드시 살펴보아야 할 근육이다.

● 일명 '주사근육'으로 골반의 비대칭을 유발할 수 있는 근육이다.

● 중간볼기근이 약해지면 바지를 입을 때 서서 한 발을 들고 입는 동작보다는 앉아서 입는 것이 좋다.

● 궁둥신경, 궁둥구멍근증후군, 디스크의 방사통을 한번에 잡아주는 근육이다.

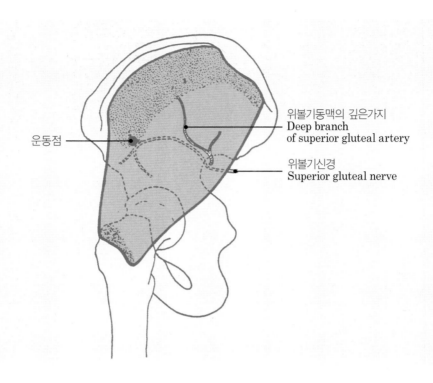

운동점

위볼기동맥의 깊은가지
Deep branch
of superior gluteal artery

위볼기신경
Superior gluteal nerve

◉ **시작점**　엉덩뼈의 가쪽면
◉ **부착점**　넙다리뼈 큰돌기
◉ **신경지배**　위볼기신경
◉ **기능**　엉덩관절 벌리기
◉ **해설**　중간볼기근은 엉덩관절벌림근 중에서 가장 크며, 벌림근 단면적의 약 60%를 차지하고 있다. 중간볼기근의 주요작용은 벌리기이다. 앞쪽섬유는 굽히기와 안쪽돌리기를 보조하고, 뒤쪽섬유는 펴기와 가쪽돌리기를 보조한다. 대부분 큰볼기근이 덮고 있다. 앞쪽근육다발은 엉덩관절이 안쪽으로 돌아갈 때 작용한다.

03. 작은볼기근(소둔근)
Gluteus minimus m.

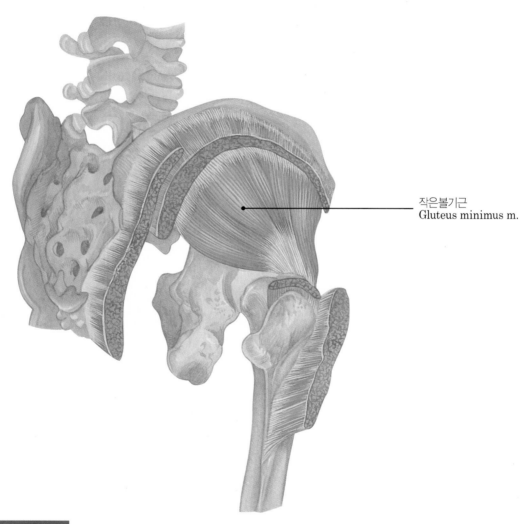

작은볼기근
Gluteus minimus m.

Tips

● 작은볼기근은 대부분 큰볼기근이 덮고 있다.

● 작은볼기근의 앞쪽근육다발은 엉덩관절이 안쪽으로 돌아갈 때 작용한다.

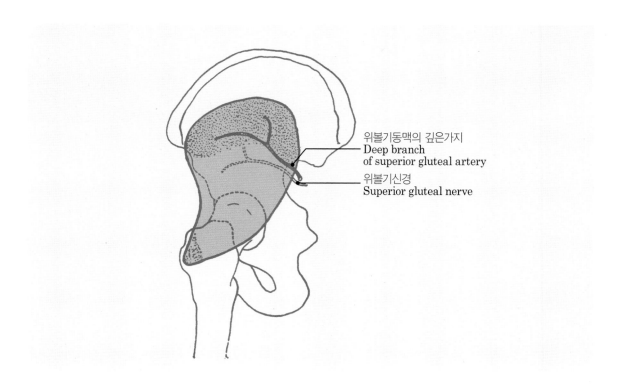

위볼기동맥의 깊은가지
Deep branch
of superior gluteal artery

위볼기신경
Superior gluteal nerve

◑ **시작점**　엉덩뼈의 가쪽면

◑ **부착점**　넙다리뼈 큰돌기

◑ **신경지배**　위볼기신경

◑ **기능**　엉덩관절 벌리기
　　　　　엉덩관절 안쪽돌리기

◑ **해설**　작은볼기근은 중간볼기근과 형태는 비슷하지만 약간 작다. 깊은부위에 있으며,
　　　　　중간볼기근의 앞쪽에 위치한다. 이 부위에서 엉덩관절의 안쪽돌리기에 작용하
　　　　　고, 앞쪽섬유에서 엉덩관절의 굽히기를 보조한다.

04. 넙다리근막긴장근(대퇴근막장근)

Tensor fasciae latae m.

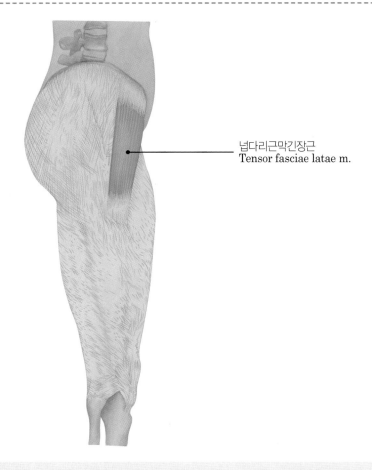

넙다리근막긴장근
Tensor fasciae latae m.

Tips

- 넙다리근막긴장근의 긴장성 단축은 허리뼈(요추)만곡을 증가시킨다. 하이힐을 자주 신는 여성의 허리통증을 개선하려면 반드시 이 근육을 함께 풀어주어야 한다.
- 산길 등 고르지 못한 길을 장시간 걷고 나면 다리에 공허하게 허한 느낌이 오는 것도 넙다리근막긴장근의 긴장 때문이다. 이 근육에는 종아리신경이 지나고 있어 발목을 굽히고 펴는 동작에도 영향을 준다.
- 무릎·발목·골반·허리 등 다리부위 전반에 걸친 통증이나 질환 또는 이상이 발생하면 반드시 처치해야 할 근육이다.

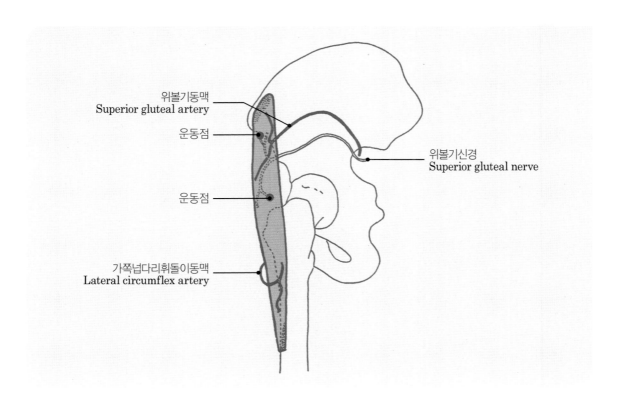

위볼기동맥
Superior gluteal artery

운동점

위볼기신경
Superior gluteal nerve

운동점

가쪽넙다리휘돌이동맥
Lateral circumflex artery

◉ **시작점**   위앞엉덩뼈가시의 뒤쪽부터 엉덩뼈능선의 가쪽면
◉ **부착점**   엉덩정강근막띠의 몸쪽부분
◉ **신경지배** 위볼기신경
◉ **기능**   엉덩관절 굽히기
            엉덩관절 벌리기
            엉덩관절 안쪽돌리기
◉ **해설**   몇 개 되지 않는 엉덩관절 안쪽돌림근육 중의 하나로, 넙다리 가쪽에 있는 편
            평한 근육이다. 엉덩정강근막띠는 엉덩뼈능선부터 정강뼈가쪽결절까지 주행하
            는 두꺼운 결합조직의 띠이다. 넙다리근막긴장근의 기능은 엉덩정강근막띠를
            긴장시키는 것이며, 엉덩관절과 무릎관절의 가쪽면을 가로질러 안정성을 강화
            시킨다.

05. 궁둥구멍근(이상근)

Piriformis m.

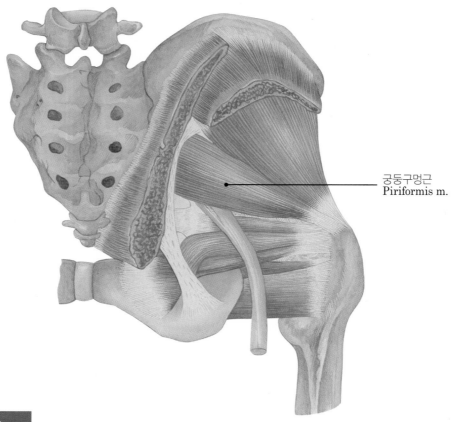

궁둥구멍근
Piriformis m.

Tips

- 볼기의 근육군에 속한다. 뒤쪽에서 보면 작은볼기근(소둔근) 아래쪽에 있다.
- 허리에서 항상 말썽을 일으키는 근육이다.
- 궁둥신경의 일부 또는 전체가 이 근육 사이를 지나기 때문에 그 구멍 사이의 압박으로 다리로 방사통이 생겨난다.
- 엉덩관절을 가쪽으로 돌리면서 저항을 주면 통증이 유발된다.
- 과긴장은 허리뼈의 전만을 일으키며, 성교 시 여성에게 허리엉치부분의 통증을 일으킨다.
- 허리와 다리의 전반적인 관리 시에 신경써야 할 근육이다.

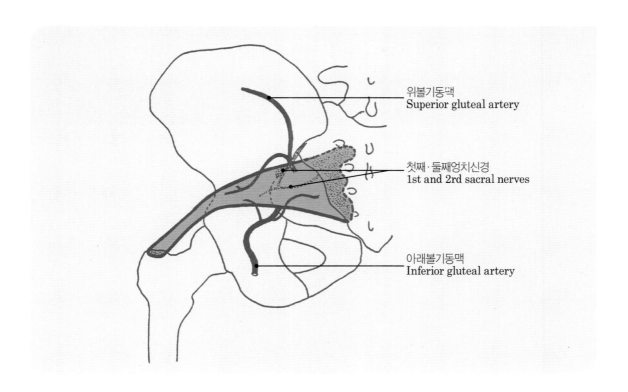

위볼기동맥
Superior gluteal artery

첫째·둘째엉치신경
1st and 2rd sacral nerves

아래볼기동맥
Inferior gluteal artery

● **시작점**   앞엉치뼈구멍 사이의 엉치뼈골반면, 큰궁둥뼈구멍모서리, 엉치결절인대
● **부착점**   넙다리뼈큰돌기의 위모서리
● **신경지배**   첫째·둘째엉치신경
● **기능**   엉덩관절 가쪽돌리기, 엉덩관절을 굽힐 때 엉덩관절 벌리기

06. 속폐쇄근(내폐쇄근)
Obturator internus m.

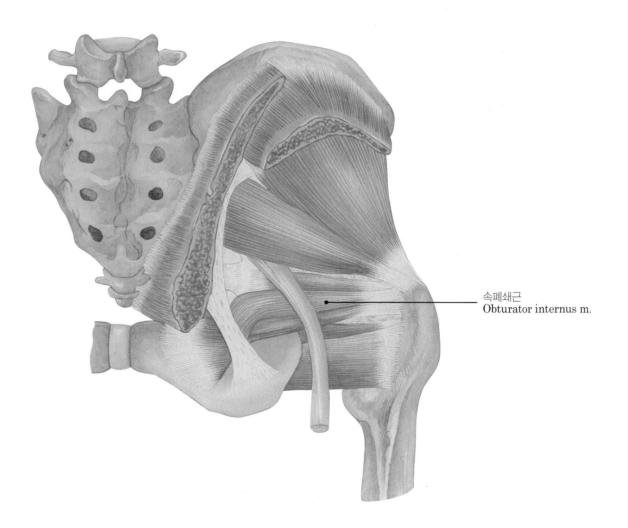

속폐쇄근
Obturator internus m.

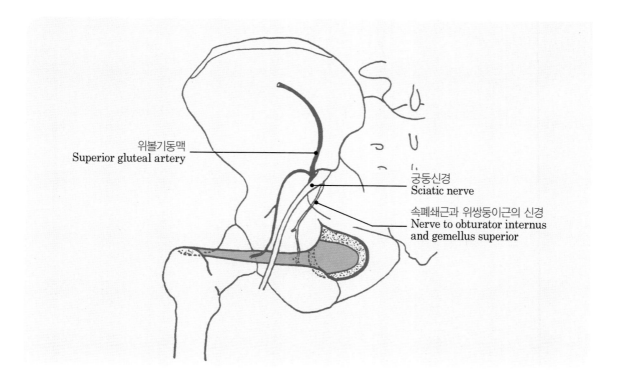

위볼기동맥
Superior gluteal artery

궁둥신경
Sciatic nerve

속폐쇄근과 위쌍둥이근의 신경
Nerve to obturator internus
and gemellus superior

- **시작점** 폐쇄구멍모서리, 폐쇄막, 폐쇄구멍의 등뒤 및 윗부분의 볼기뼈골반면, 폐쇄근막
- **부착점** 큰돌기의 안쪽면
- **신경지배** 속폐쇄근과 위쌍동이근으로의 신경
- **기능** 엉덩관절 가쪽돌리기, 엉덩이를 굽힐 때 엉덩관절 회전하기

Tips

- 속폐쇄근(내폐쇄근)·위쌍둥이근(상쌍자근)·아래쌍둥이근(하쌍자근)은 큰볼기근(대둔근) 깊은부
  위에서 궁둥구멍근(이상근)의 꼬리쪽에 있는 작은 근육들이다. 그리고 넙다리네모근(요방형근)
  은 큰볼기근(대둔근) 깊은부위의 아래쌍둥이근(하쌍자근) 꼬리쪽에 있는 사각형의 근육이다.

07. 위쌍동이근(상쌍자근)
Gemellus superior m.

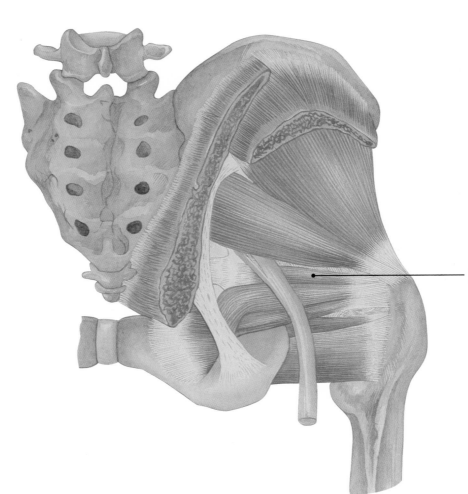

위쌍동이근
Gemellus superior m.

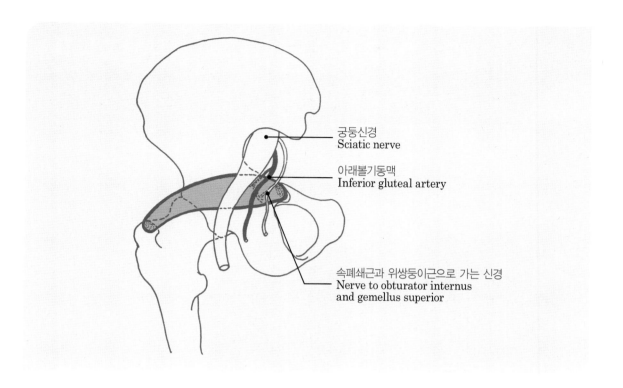

궁둥신경
Sciatic nerve

아래볼기동맥
Inferior gluteal artery

속폐쇄근과 위쌍동이근으로 가는 신경
Nerve to obturator internus
and gemellus superior

● **시작점**　궁둥뼈가시의 바깥면
● **부착점**　큰돌기의 안쪽면, 속폐쇄근힘줄과 함께 부착된다.
● **신경지배**　속폐쇄근과 위쌍동이근으로 가는 신경
● **기능**　엉덩관절 가쪽돌리기

Tips

● 속폐쇄근(내폐쇄근)·위쌍동이근(상쌍자근)·아래쌍동이근(하쌍자근)은 큰볼기근(대둔근) 깊은부 위에서 궁둥구멍근(이상근)의 꼬리쪽에 있는 작은 근육들이다. 그리고 넙다리네모근(요방형근) 은 큰볼기근(대둔근) 깊은부위의 아래쌍동이근(하쌍자근) 꼬리쪽에 있는 사각형의 근육이다.

08. 아래쌍동이근(하쌍자근)
Gemellus inferior m.

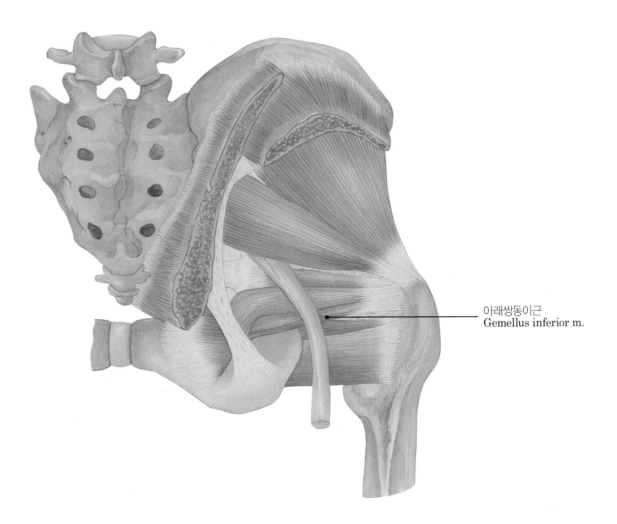

아래쌍동이근
Gemellus inferior m.

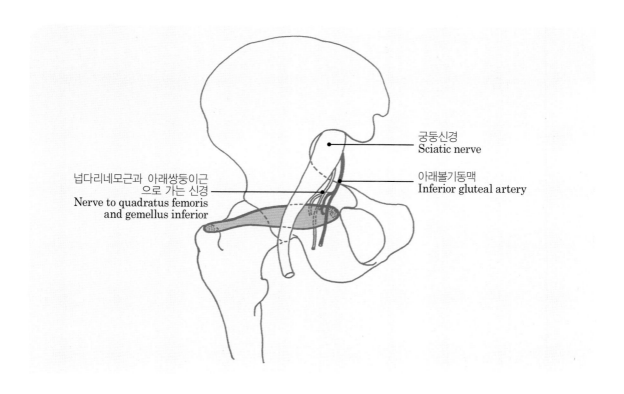

궁둥신경
Sciatic nerve

아래볼기동맥
Inferior gluteal artery

넙다리네모근과 아래쌍동이근
으로 가는 신경
Nerve to quadratus femoris
and gemellus inferior

- **시작점** 궁둥뼈결절의 윗부분
- **부착점** 큰돌기의 안쪽면, 속폐쇄근의 힘줄과 함께 부착된다.
- **신경지배** 넙다리네모근과 아래쌍동이근으로 가는 신경
- **기능** 엉덩관절 가쪽돌리기

Tips

- 속폐쇄근(내폐쇄근) · 위쌍둥이근(상쌍자근) · 아래쌍둥이근(하쌍자근)은 큰볼기근(대둔근) 깊은부
위에서 궁둥구멍근(이상근)의 꼬리쪽에 있는 작은 근육들이다. 그리고 넙다리네모근(요방형근)
은 큰볼기근(대둔근) 깊은부위의 아래쌍둥이근(하쌍자근) 꼬리쪽에 있는 사각형의 근육이다.

09. 넙다리네모근(대퇴방형근)
Quadratus femoris m.

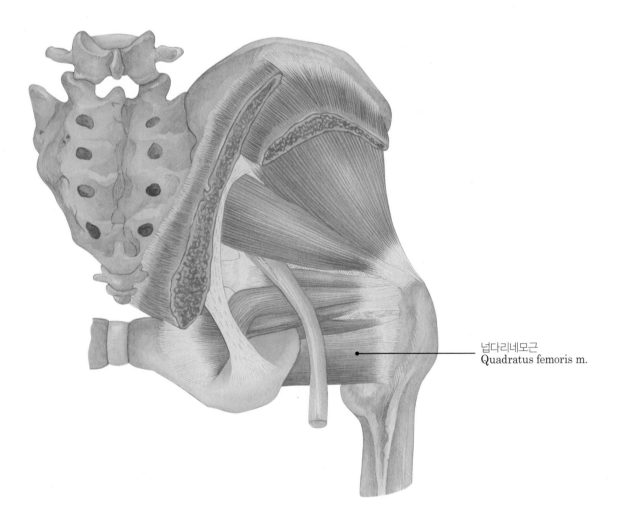

넙다리네모근
Quadratus femoris m.

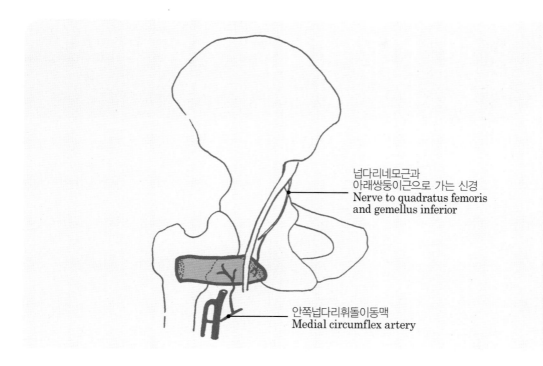

넙다리네모근과
아래쌍둥이근으로 가는 신경
Nerve to quadratus femoris
and gemellus inferior

안쪽넙다리휘돌이동맥
Medial circumflex artery

● **시작점**　궁둥뼈결절의 가쪽모서리
● **부착점**　넙다리뼈의 넙다리네모근결절, 넙다리네모근선
● **신경지배**　넙다리네모근과 아래쌍둥이근으로 가는 신경
● **작용**　엉덩관절 모으기 및 가쪽돌리기

Tips

● 허리뼈 안쪽의 등허리근막(요배근막) 앞에 있는 직사각형의 근육이다.
● 골반을 끼고 엉덩관절을 위로 올려주는 근육으로 '엉덩관절올림근'이라고도 한다.
● 허리네모근은 바닥에 앉은 상태에서 옆으로 굽혀 물건을 주워들 때 사용된다.

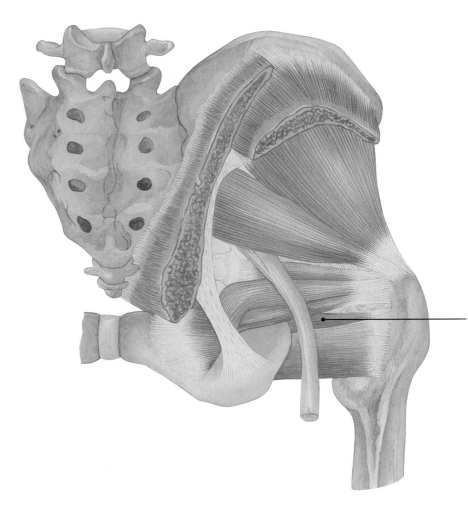

바깥폐쇄근
Obturator externus m.

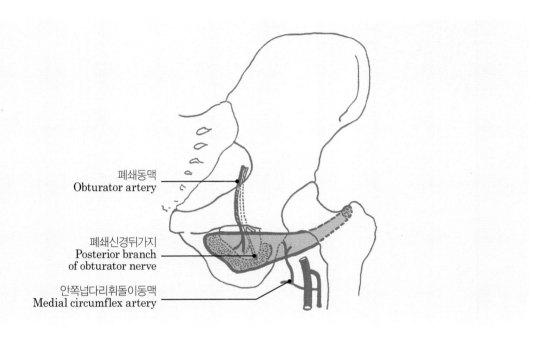

폐쇄동맥
Obturator artery

폐쇄신경뒤가지
Posterior branch
of obturator nerve

안쪽넙다리휘돌이동맥
Medial circumflex artery

- **시작점**　폐쇄구멍의 바깥모서리, 폐쇄막의 가쪽면
- **부착점**　넙다리뼈의 돌기오목
- **신경지배**　폐쇄신경뒤가지
- **기능**　엉덩관절 모으기 및 가쪽돌리기

Tips

● 엉덩관절바깥돌림근육군(속폐쇄근(내폐쇄근), 위쌍둥이근(상쌍자근), 아래쌍둥이근(하쌍자근), 넙
다리네모근(요방형근), 바깥폐쇄근(외폐쇄근))에 속한다.

Chapter 17
넙다리 뒤쪽의 근육

01. 넙다리두갈래근(대퇴이두근)

Biceps femoris m.

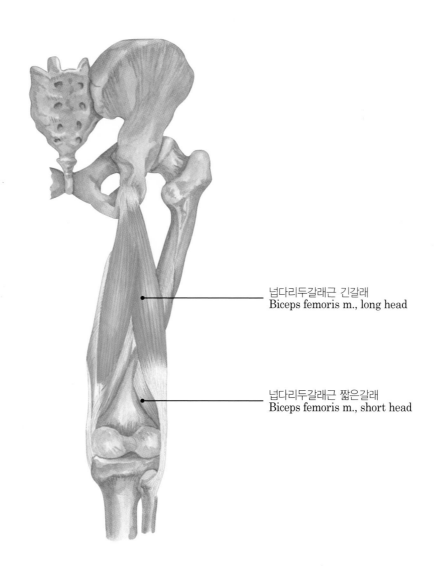

넙다리두갈래근 긴갈래
Biceps femoris m., long head

넙다리두갈래근 짧은갈래
Biceps femoris m., short head

Tips

● '가쪽햄스트링스'로도 불린다. 일반적으로 넙다리두갈래근(대퇴이두근)·반힘줄모양근(반건양근)·반막모양근(반막양근)의 3근육을 합쳐 '햄스트링스'라 한다.

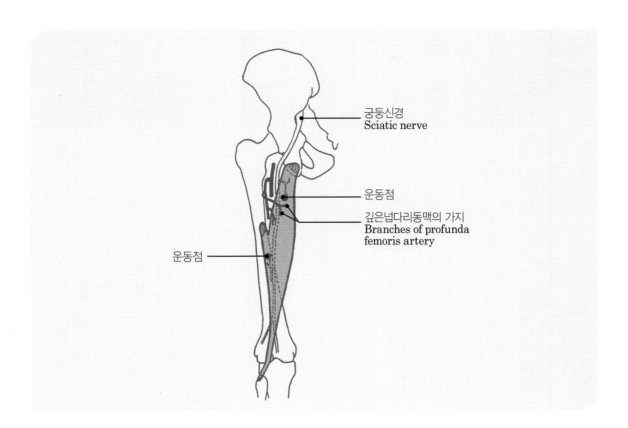

궁둥신경
Sciatic nerve

운동점

깊은넙다리동맥의 가지
Branches of profunda
femoris artery

운동점

- **시작점** 궁둥뼈결절
- **부착점** 종아리뼈머리
- **신경지배** 정강신경(궁둥신경)
- **기능** 엉덩관절 펴기
  골반 뒤기울기
  무릎관절 굽히기
  무릎관절 가쪽돌리기
- **해설** 넙다리두갈래근은 긴갈래와 짧은갈래로 구성된다. 넙다리두갈래근 긴갈래는 무릎굽힘근군(hamstrings)의 대표적인 근육으로, 엉덩관절과 무릎관절의 뒷면을 가로지르는 이관절근이지만, 짧은갈래는 단일관절근육이다. 넙다리두갈래근의 먼쪽힘줄은 무릎관절의 굽힘에 저항을 가하면 굽힌 무릎관절의 뒤-가쪽면에서 쉽게 촉진할 수 있다.

02. 반힘줄모양근(반건양근)
Semitendinosus m.

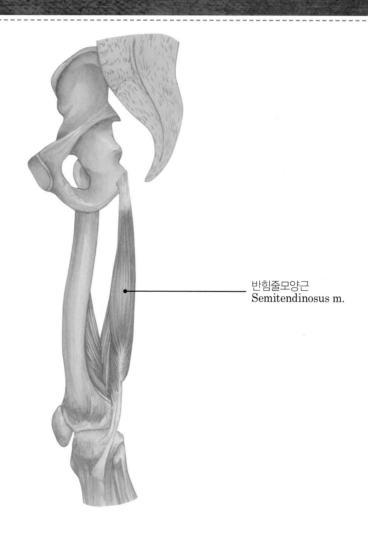

반힘줄모양근
Semitendinosus m.

Tips

- 반힘줄모양근(반건양근)과 반막모양근(반막양근)을 합쳐 '안쪽햄스트링스'라 한다. 반힘줄모양근은 가늘고 긴 근육으로, 아래쪽 반은 힘줄처럼 되어 있다.
- 힘줄이 이 근육의 전체의 절반 가까이를 차지한다.
- 엉덩관절의 굽힘, 무릎의 굽힘 등과 관련이 있고 엉덩관절의 통증에 영향을 준다.

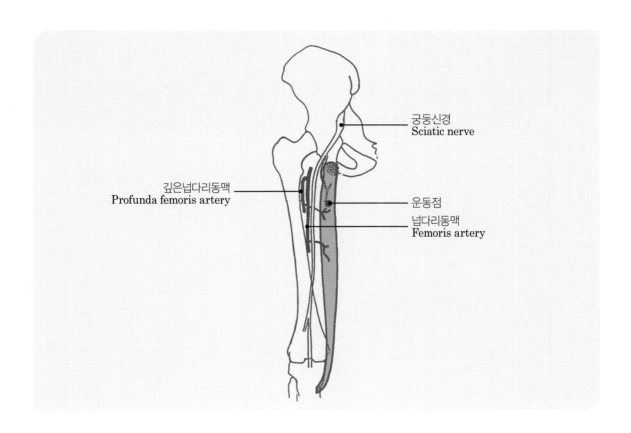

궁둥신경
Sciatic nerve

깊은넙다리동맥
Profunda femoris artery

운동점

넙다리동맥
Femoris artery

● **시작점**　궁둥뼈결절
● **부착점**　정강뼈(거위발)의 몸쪽부분 안쪽면
● **신경지배**　궁둥신경의 정강가지
● **기능**　엉덩관절 펴기
　　　　골반 뒤기울기
　　　　무릎관절 굽히기
　　　　무릎관절 안쪽돌리기
● **해설**　이 근육의 힘줄은 띠모양으로, 무릎관절의 뒤쪽-안쪽면에서 쉽게 만질 수 있다. 저항력을 주면서 무릎관절을 굽히면 보다 쉽게 만질 수 있다.

03. 반막모양근(반막양근)

Semimembranous m.

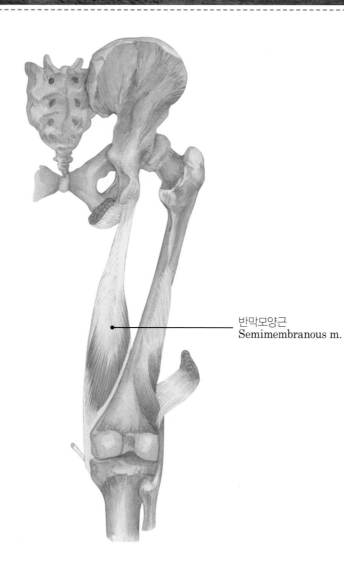

반막모양근
Semimembranous m.

Tips

● 반힘줄모양근(반건양근))과 반막모양근(반막양근)을 합쳐 '안쪽햄스트링스'라 한다. 반막모양근은 반힘줄모양근을 덮고 있으며, 위쪽 반은 넓은 널힘줄처럼 되어 있다.

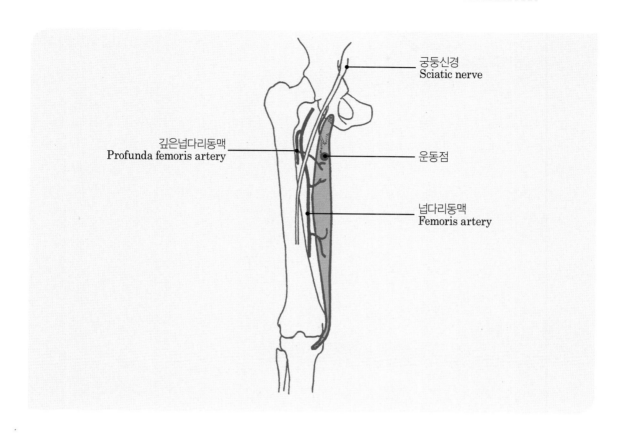

● **시작점**　궁둥뼈결절의 윗부분과 가쪽면

● **부착점**　정강뼈 안쪽관절융기–뒷면

● **신경지배**　정강신경(궁둥신경)

● **기능**　엉덩관절 펴기

　　　　골반 뒤기울기

　　　　무릎관절 굽히기

　　　　무릎관절 안쪽돌리기

● **해설**　종종 반막모양근과 반힘줄모양근을 합하여 안쪽무릎굽힘근군(hamstrings)이
　　　　라고 부른다. 반막모양근은 그 이름대로 반힘줄모양근보다 평평한 모양의 근
　　　　육이다.

엉덩관절을 펴주는 근육

엉덩관절의 주요폄근은 큰볼기근과 무릎관절의 굽힘근(넙다리두갈래근, 반힘줄모양근, 반막모양근 긴갈래)이다. 큰모음근 무릎힘줄부분 또한 주요 엉덩관절폄근으로 볼 수 있다. 이러한 강력한 근육군은 달리기, 계단오르기, 일어서기 등과 같은 위쪽 및 앞쪽 추진력을 필요로 하는 일상적인 활동을 할 때 이용된다. 또한 넙다리뼈를 고정하여 엉덩관절폄근을 활성화시킴으로써 골반뒤기울이기도 수행한다.

엉덩관절을 모으는 근육

엉덩관절의 주요모음근은 두덩근, 긴모음근, 두덩정강근, 짧은모음근, 큰모음근이다. 이 근육군의 주요작용은 모음토크를 발생시켜 다리를 정중선 방향으로 움직이게 하는 것이지만, 이 모음토크는 골반의 두덩결합을 넙다리뼈 근처까지 움직이게 만드는 것도 가능하다. 또한 엉덩관절의 자세에 따라서 엉덩관절모음근은 굽힘근으로도 작용한다.

엉덩관절을 벌려주는 근육

엉덩관절의 주요벌림근은 중간볼기근(gluteus medius m.), 작은볼기근(gluteus minimus m.), 넙다리근막긴장근(tensor fasciae latae m.)이다. 그밖에 궁둥구멍근(piriformis m.), 넙다리빗근(sartorius m.) 및 두번째 엉덩관절 벌림근이라고 알려진 큰볼기근 위섬유가 있다. 골반을 고정시킨 채 엉덩관절 벌림근을 수축시키면 넙다리뼈는 정중선에서 멀어지는 방향으로 벌어진다. 이러한 벌림은 근육에게 비교적 가벼운 부하를 걸어 수행할 수 있다. 엉덩관절 벌림근에 많은(또는 보통의) 부하를 거는 활동은 이른바 한 발로 선 자세인데, 이것은 넙다리뼈를 지면에 고정한 폐쇄운동 연쇄로 일어난다. 오른쪽 다리만으로 설 때의 골반 왼쪽의 '올리기'는 오른쪽 엉덩관절벌림근의 강한 수축에 의하여 일어난다는 것을 스스로 확인할 수 있다(엉덩관절벌림근은 큰돌기와 엉덩뼈능선 사이에서 촉진할 수 있다). 이와 같이 골반의 왼쪽을 천천히 내리는 경우에는 오른쪽 엉덩관절벌림근의 원심성 수축이 발생한다. 두 경우 모두의 골반 회전축도 넙다리뼈머리의 앞-뒤방향이다.

엉덩관절벌림근이 가장 많은 요구를 받는 활동은 보행이다. 보행에서 왼쪽 다리를 흔들기 시작하면서 오른쪽 다리 하나로 지지하는 시간이다. 엉덩관절벌림근이 받는 요구를 생각해보자. 흔들기 시작한 왼쪽 다리에 의하여 발생하는 골반의 '낙하'를 방지하기 위하여 오른쪽 엉덩관절벌림근은 큰 수축력을 공급해야만 한다. 따라서 엉덩관절벌림근의 근력저하는 보행 및 한쪽 다리로 서 있을 때에 골반의 불안정을 초래한다.

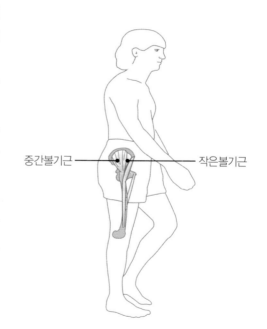

중간볼기근 —————— —————— 작은볼기근

Chapter 18
종아리 앞쪽의 근육

01. 앞정강근(전경골근)
Tibialis anterior m.

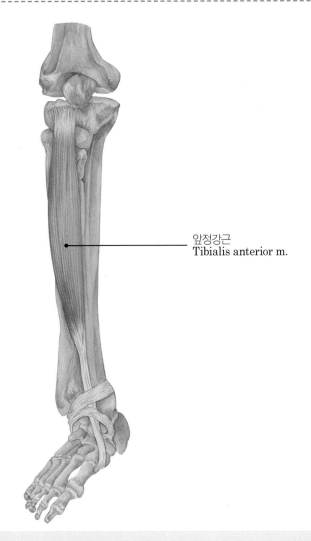

앞정강근
Tibialis anterior m.

Tips

● 발을 발등쪽으로 굽히는 주동근이다. 마주보고 있는 가쪽에서 가장 긴 근육으로, 발목에서는 힘줄로 이어진다.

● 이 근육이 마비되면 꿈치들린휜발(equinus, 첨족)이 된다.

● 이 근육이 약화되면 보행의 유각기에서 발처짐(footdrop, 족하수)을 일으킨다.

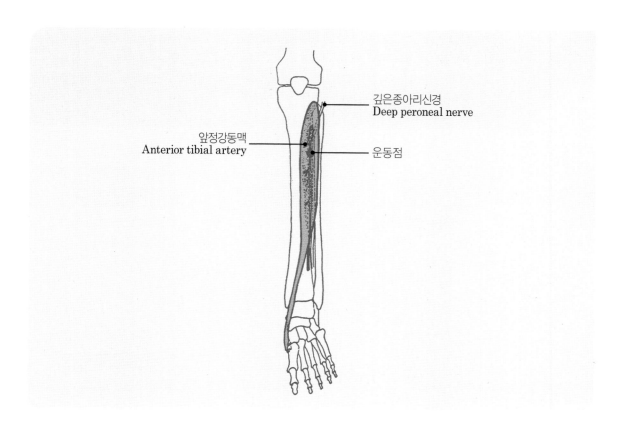

깊은종아리신경
Deep peroneal nerve

앞정강동맥
Anterior tibial artery

운동점

● **시작점** 정강뼈 몸쪽 2/3와 종아리뼈사이막
● **부착점** 안쪽쐐기뼈의 안쪽 및 바닥쪽면과 첫째발허리뼈 바닥
● **신경지배** 깊은종아리신경
● **기능** 발등쪽굽히기
　　　　　 뒤치기
● **해설** 이 근육의 힘줄은 발등쪽굽히기와 뒤치기가 조합된 운동을 할 때 쉽게 촉진할 수
　　　　　 있다.

02. 긴엄지발가락폄근(장무지신근)

Extensor hallucis longus m.

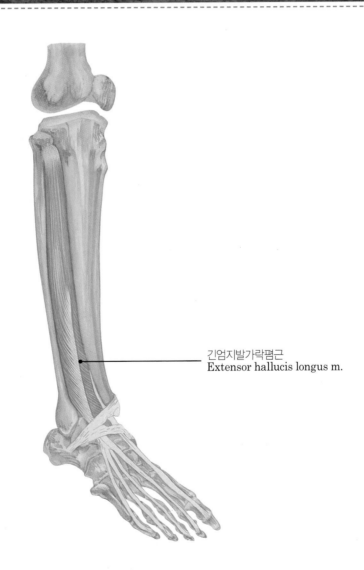

긴엄지발가락폄근
Extensor hallucis longus m.

Tips

● 긴발가락폄근(장지신근)과 함께 발가락을 펴는 근육이다. 긴엄지발가락폄근(장무지신근)의 시작점과 힘살은 앞정강근(전경골근)과 긴발가락폄근(장지신근)을 덮고 있는 표면에서 만난다.

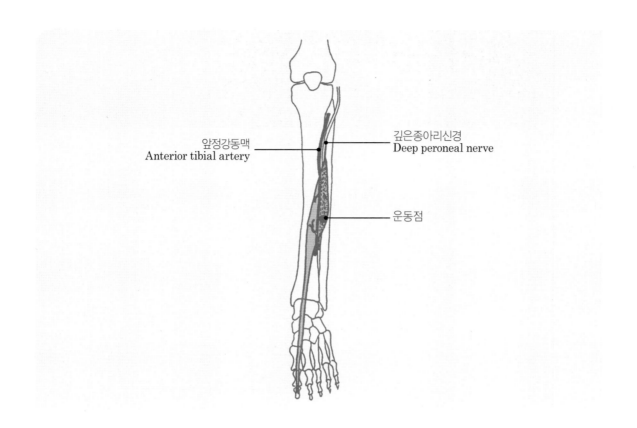

앞정강동맥
Anterior tibial artery

깊은종아리신경
Deep peroneal nerve

운동점

● **시작점** 종아리뼈의 중앙부분과 인접한 종아리뼈사이막
● **부착점** 엄지발가락끝마디뼈 바닥의 발등쪽
● **신경지배** 깊은종아리신경
● **기능** 엄지발가락 펴기
　　　　　발등쪽굽히기
● **해설** 이 근육은 목말밑관절의 회전축과 평행하여 주행하기 때문에 엎치기와 뒤치기
　　　　모두 수행하지 않는다. 긴발가락폄근은 정강뼈 앞면에서 시작하여 둘째~넷째
　　　　발가락의 발등에 부착되어 있기 때문에 등쪽굽히기와 바깥번지기가 주된 역할
　　　　이다. 특히 이 근육의 힘은 바닥쪽굽히기와 등쪽굽히기의 균형을 잡는 데에 매
　　　　우 중요하다. 긴엄지발가락폄근의 촉진은 매우 어렵다. 왜냐하면 앞정강근이
　　　　너무 강력하고 크기 때문이다.

03. 긴발가락폄근(장지신근)

Extensor digitorum longus m.

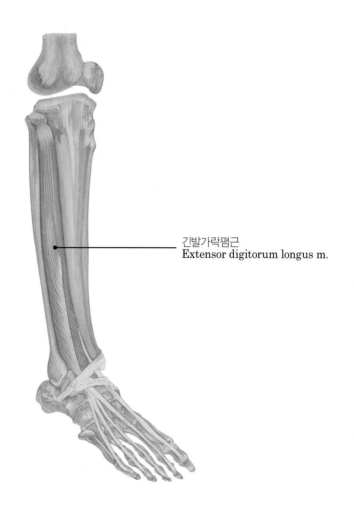

긴발가락폄근
Extensor digitorum longus m.

Tips

● 앞정강근이 약화되면 긴발가락폄근의 근력이 발목관절의 발등쪽굽히기를 대신 수행한다.

● 이 근육을 긴장, 경축 또는 혹사하면 집게발가락부터 새끼발가락이 변형된 갈퀴발가락(claw toe)이 발생한다(발허리발가락관절관의 과다폄, 몸쪽발가락사이관절과 먼쪽발가락뼈사이관절의 굽힘).

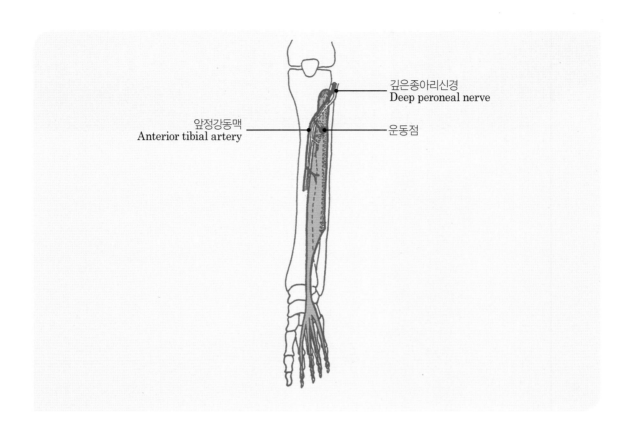

🔵 **시작점**   정강뼈가쪽관절융기, 종아리뼈 안쪽면의 몸쪽 2/3와 인접한 종아리뼈사이막

🔵 **부착점**   엄지발가락을 제외한 네 발가락의 중간마디뼈와 끝마디뼈의 등면에 힘줄로 나
               누어져 부착된다.

🔵 **신경지배** 깊은종아리신경

🔵 **작용**   집게발가락부터 새끼발가락 펴기(발허리발가락관절, 몸쪽발가락사이관절, 먼쪽
               발가락뼈사이관절)/등쪽굽히기/엎치기

🔵 **해설**   이 근육의 이름은 주요 기능을 나타내고 있다. 이 근육은 발목관절의 회전축
               앞쪽을 교차하여 주행하기 때문에 발등쪽굽힘근이 된다.

04. 셋째종아리근(제삼비골근)
Peroneus tertius m.

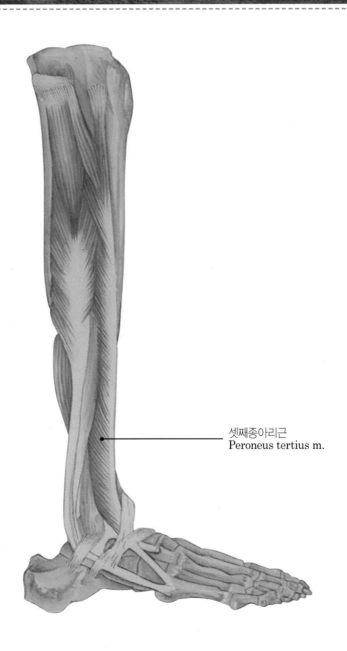

셋째종아리근
Peroneus tertius m.

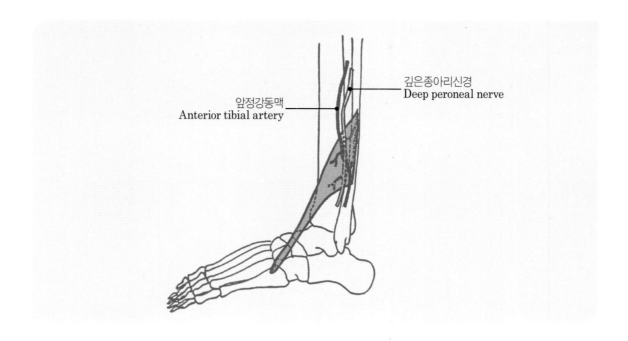

깊은종아리신경
Deep peroneal nerve

앞정강동맥
Anterior tibial artery

● **시작점**   종아리뼈 안쪽면의 먼쪽 1/3과 인접된 종아리뼈사이막

● **부착점**   다섯째발허리뼈 바닥의 발등면

● **신경지배** 깊은종아리신경

● **기능**   집게발가락부터 새끼발가락 펴기(발허리발가락관절, 몸쪽발가락사이관절, 먼쪽
           발가락사이관절)/ 등쪽굽히기/엎치기

● **해설**   이 근육을 강화시키면 발목관절 내반염좌를 치료할 때 도움이 된다. 셋째종아
           리근의 기능인 발등쪽굽히기와 엎치기는 발바닥쪽굽히기와 뒤치기에 대항하는
           움직임이다. 발바닥쪽굽히기와 뒤치기는 가쪽곁인대(특히 앞목말종아리인대)에
           손상을 입히는 움직임이다.

05. 장딴지근(비복근)
Gastrocnemius m.

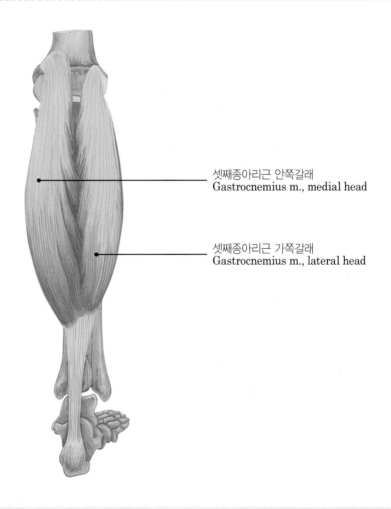

셋째종아리근 안쪽갈래
Gastrocnemius m., medial head

셋째종아리근 가쪽갈래
Gastrocnemius m., lateral head

Tips

- 종아리 뒤쪽의 가장 표면에 있는 2관절근이다. 가자미근과 함께 종아리세갈래근(하퇴삼두근)을 구성한다. 아킬레스힘줄은 인체에서 가장 강한 힘줄이다.
- 정맥류와 연관된다.
- 심장으로 올려주는 에너지 근육이다.
- 종아리의 통증과 피로, 혈액순환과 관련이 깊다.

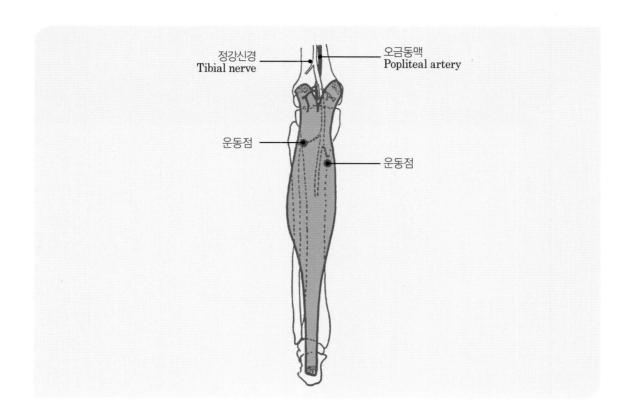

정강신경
Tibial nerve

오금동맥
Popliteal artery

운동점

운동점

- 🔵 **시작점** 안쪽갈래 넙다리뼈안쪽관절융기의 뒤쪽면
  가쪽갈래 넙다리뼈가쪽관절융기의 뒤쪽면
- 🔵 **부착점** 아킬레스힘줄을 경유하여 발꿈치뼈융기
- 🔵 **신경지배** 정강신경
- 🔵 **기능** 발바닥쪽굽히기
  무릎관절 굽히기
- 🔵 **해설** 장딴지근은 돌출된 발꿈치뼈융기에 의하여 큰 내적 모멘트팔을 받는데, 이러한 비교적 크게 교차하는 부분 때문에 큰 발바닥쪽굽힘토크를 만들어내는 것이 가능하다. 예를 들어 달리거나 뛸 때 체중을 위쪽과 앞쪽으로 추진시키려면 큰 토크가 필요하다.

06. 장딴지빗근(족척근)
Plantaris m.

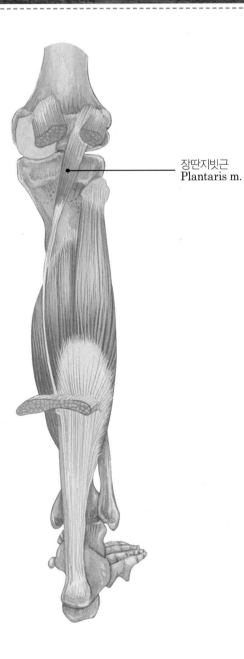

장딴지빗근
Plantaris m.

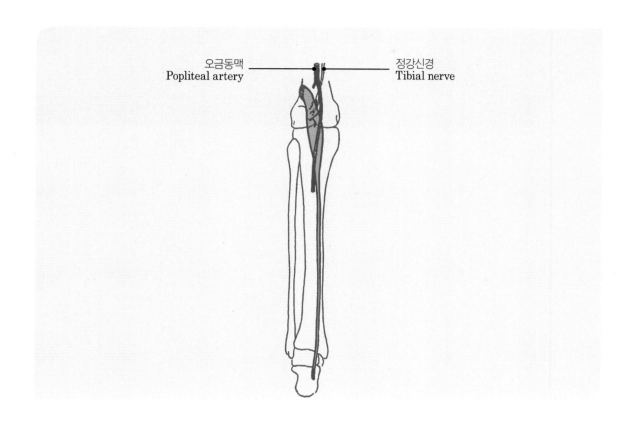

오금동맥
Popliteal artery

정강신경
Tibial nerve

◉ **시작점**   넙다리뼈의 가쪽관절융기 위선, 무릎관절의 빗오금인대
◉ **부착점**   발꿈치뼈 뒷부분의 안쪽, 발꿈치힘줄(아킬레스힘줄)
◉ **신경지배** 정강신경(안쪽오금신경)
◉ **기능**   발목관절 발바닥쪽굽히기

07. 가자미근
Soleus m.

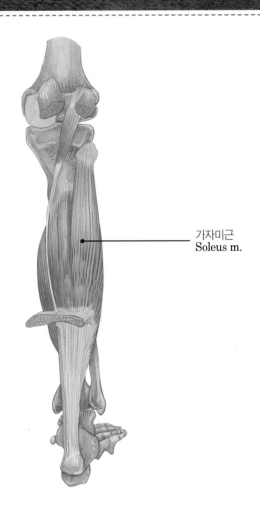

가자미근
Soleus m.

Tips

- 발목의 움직임과 발꿈치 통증으로 오는 문제의 중심에 있는 근육이다.
- 성장기의 성장포인트로 통증이 오기도 한다.
- 무릎통증과 관련이 많다.
- 스키, 하키 등의 운동과 굽이 높은 구두를 장시간 신을 때 통증이 오기 쉽다.
- 족저근막염에 영향을 준다.

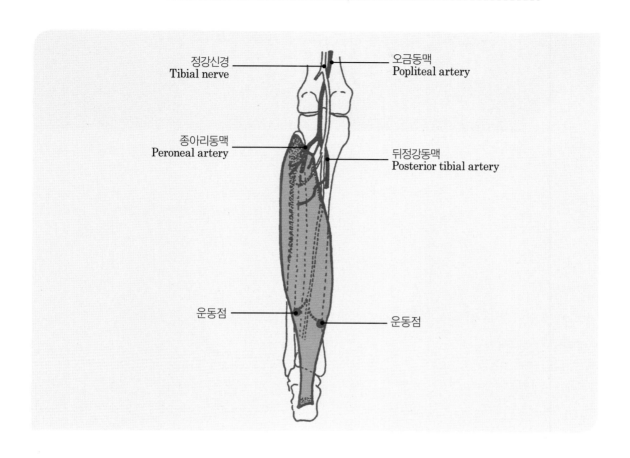

- ● **시작점**　종아리뼈뒷면의 몸쪽 1/3, 종아리뼈작은머리, 정강뼈 뒤쪽면
- ● **부착점**　아킬레스힘줄을 경유하여 발꿈치뼈융기
- ● **신경지배**　정강신경
- ● **기능**　발바닥쪽굽히기
- ● **해설**　장딴지근과 가자미근은 장딴지의 근육군이다. 이 2개의 근육은 다른 부착점을 가지고 있다. 가자미근은 대부분 장딴지근을 덮고 있는 굵고 강한 발바닥쪽굽 힘근육으로 높은 곳에 있는 물건을 발돋움하여 집는다. 무릎관절을 굽힌 자세 에서는 2관절근인 장딴지근이 느슨해지지만, 1관절근인 가자미근의 길이는 변 화가 없다. 결과적으로 장딴지근이 느슨해지면 발목관절을 발바닥쪽으로 굽히 는 능력이 상실된 것으로 볼 수 있다.

08. 오금근(슬와근)

Popliteus m.

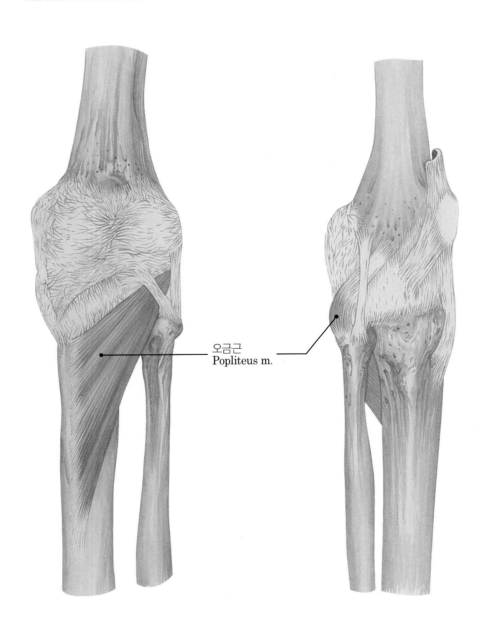

오금근
Popliteus m.

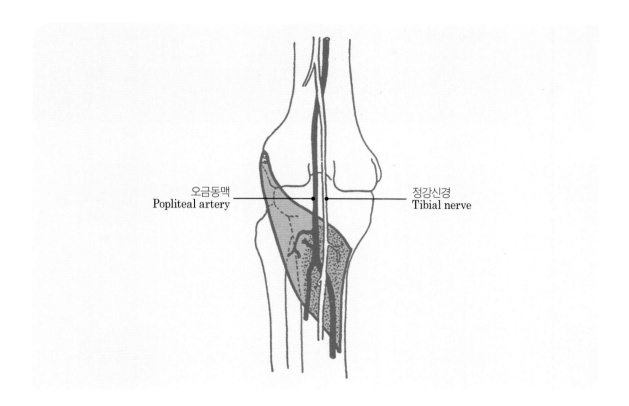

오금동맥
Popliteal artery

정강신경
Tibial nerve

- **시작점** 가쪽넙다리뼈관절융기의 뒷면
- **부착점** 정강뼈 몸쪽부분의 뒷면
- **신경지배** 정강신경
- **기능** 무릎관절 안쪽돌리기
  무릎관절 굽히기
- **해설** 이 근육이 무릎관절의 고정을 방해하기 때문에 '무릎관절의 열쇠(key of the knee)'라고도 불린다.

  무릎관절은 나사돌림(screw home)운동 메커니즘(예를 들어 무릎관절의 가쪽돌리기)에 의하여 편 자세에서 고정된다. 오금근은 효과적인 안쪽돌림근으로, 무릎관절의 고정을 해제하는 토크를 발생시킨다.

  예를 들면 무릎관절을 편 자세에서 가벼운 스쿼트를 수행할 때 오금근은 넙다리뼈를 가볍게 벌려서 무릎관절을 어느 정도 안쪽으로 돌려준다. 이 근육의 활동이 무릎관절의 고정을 방해하기 때문에 무릎관절 굽히기가 가능하다.

09. 긴엄지발가락굽힘근(장무지굴근)

Flexor hallucis longus m.

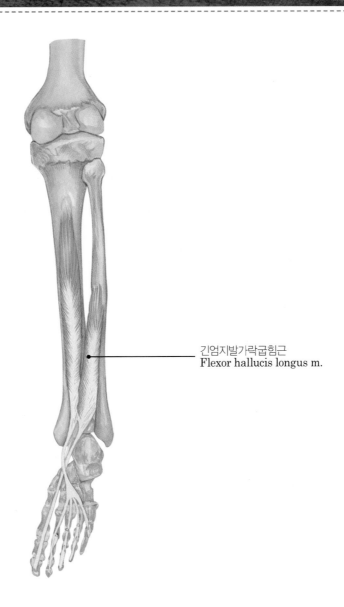

긴엄지발가락굽힘근
Flexor hallucis longus m.

Tips

● 힘살이 가자미근을 덮고 있는 뒤정강근(후경골근) 가쪽의 근육으로, 깃근육이다.

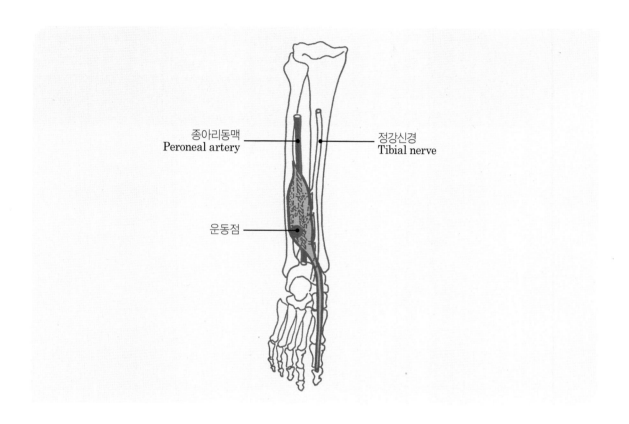

- ● **시작점**　종아리뼈 뒷면의 아래 2/3, 뼈사이막, 인접하는 근육사이막과 근막
- ● **부착점**　엄지발가락의 끝마디뼈바닥
- ● **신경지배**　정강신경(안쪽 또는 오금근으로 가는 근육가지)
- ● **기능**　엄지발가락 굽히기, 그리고 그 굽힘동작을 계속할 때에는 발목관절의 발바닥쪽 굽히기를 보조한다.

10. 긴발가락굽힘근(장지굴근)

Flexor digitorum longus m.

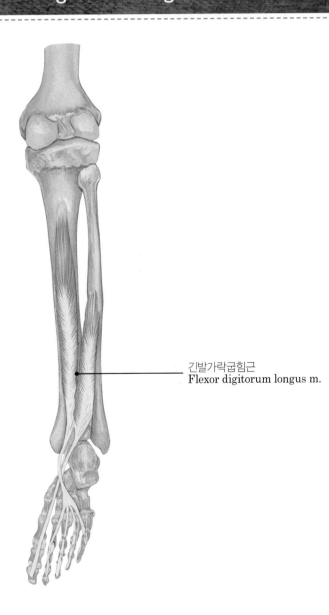

긴발가락굽힘근
Flexor digitorum longus m.

Tips

● 힘살이 긴엄지굽힘근(장무지굴근)의 안쪽에 있는 깃근육이다.

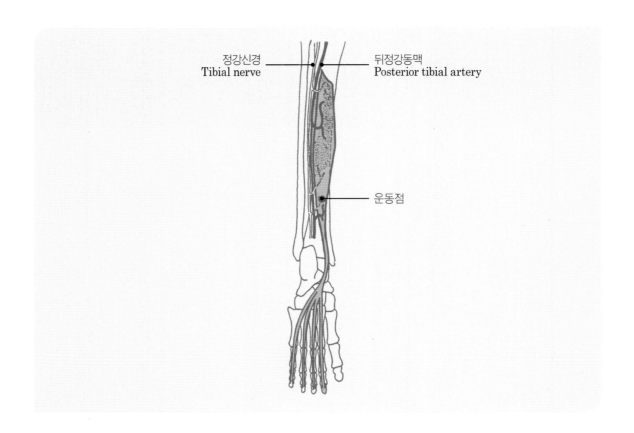

정강신경
Tibial nerve

뒤정강동맥
Posterior tibial artery

운동점

● **시작점**　정강뼈 중간 3/5의 뒷면, 뒤정강근을 덮는 근막
● **부착점**　가쪽 네 발가락의 끝마디뼈바닥의 발바닥면
● **신경지배**　정강신경(안쪽 또는 오금근으로 가는 근육가지)
● **기능**　가쪽 네 발가락 굽히기, 그 굽힘동작을 계속할 때에는 발목관절의 발바닥쪽굽히기가 일어난다.

11. 뒤정강근(후경골근)
Tibialis posterior m.

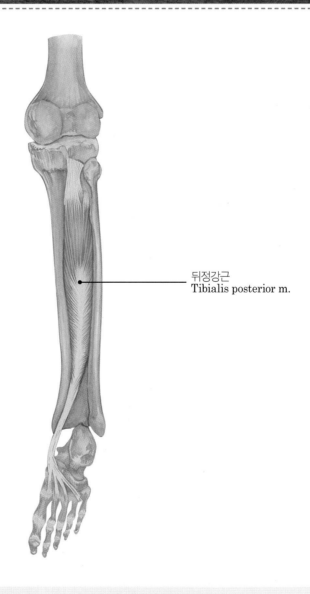

뒤정강근
Tibialis posterior m.

Tips

● 긴발가락굽힘근과 긴엄지발가락굽힘근 사이의 종아리 뒷면에서 가장 깊은 부위에 있는 근육으로 윗부분은 깃모양이고, 아랫부분은 반깃모양이다.

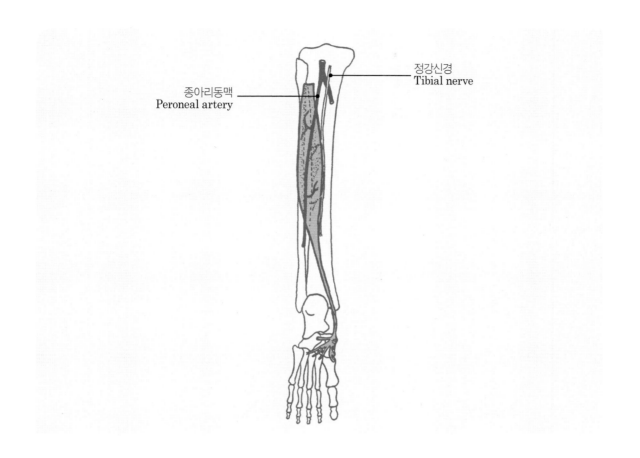

정강신경
Tibial nerve

종아리동맥
Peroneal artery

◉ **시작점** 정강뼈뒷면의 가쪽, 정강뼈안쪽면의 위 2/3, 깊은가로근막, 인접한
근육사이막부분, 무릎사이막 뒷면

◉ **부착점** 발배뼈거친면, 쐐기뼈의 바닥면, 둘째~넷째발허리뼈바닥의 바닥면,
입방뼈, 목말받침돌기

◉ **신경지배** 정강신경(안쪽 또는 무릎관절로 가는 근육가지)

◉ **기능** 발목관절 바닥쪽굽히기, 안쪽뒤집기

Chapter 19
종아리 가쪽의 근육

01. 긴종아리근(장비골근)
Peroneus longus m.

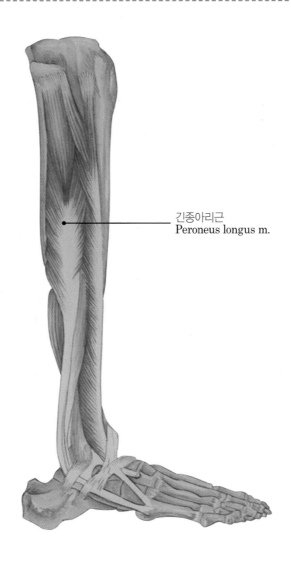

긴종아리근
Peroneus longus m.

Tips

● 긴종아리근(장비골근)과 짧은종아리근(단비골근)은 모두 발을 뒤칠 때(발바닥을 가쪽으로 하는 동작)의 주동근이며, 발바닥아치를 유지하는 기능을 한다.

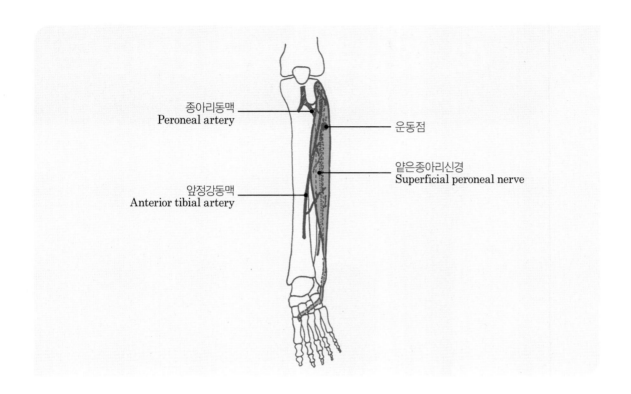

- **시작점** 종아리뼈머리 및 종아리뼈 가쪽면의 몸쪽 2/3
- **부착점** 안쪽쐐기뼈 가쪽면과 첫째발허리뼈 바닥
- **신경지배** 얕은종아리신경
- **기능** 엎치기
  바닥쪽굽히기
- **해설** 긴종아리근은 입방뼈에 부착되어 바닥쪽굽히기와 엎치기를 일으키기 위하여 가쪽복사 뒤쪽에서 긴종아리근힘줄고랑을 지나 생체역학적인 도르래가 된다. 이 도르래는 관절의 회전축과 근육의 힘선을 유지하는 데 중요하다.

02. 짧은종아리근(단비골근)
Peroneus brevis m.

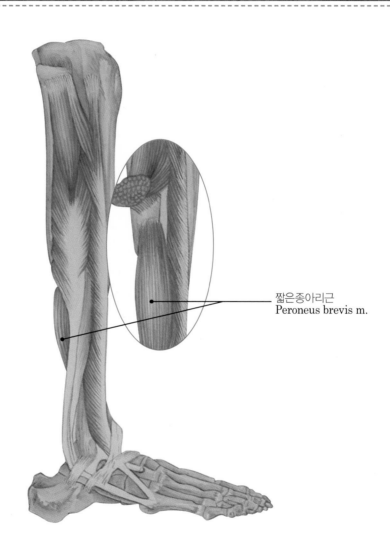

짧은종아리근
Peroneus brevis m.

Tips

● 긴종아리근(장비골근)과 짧은종아리근(단비골근)은 모두 발을 뒤칠 때(발바닥을 가쪽으로 하는 동작)의 주동근이며, 발바닥아치를 유지하는 기능을 한다.

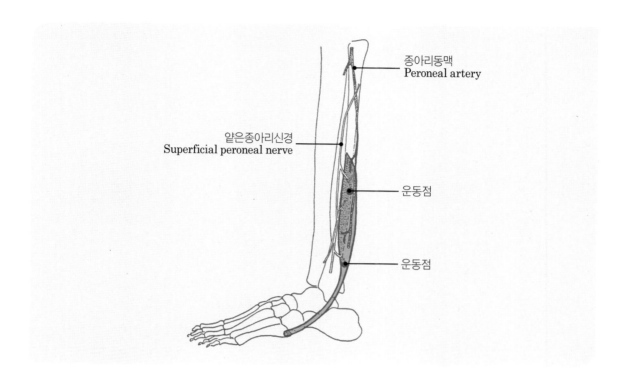

- 🔵 **시작점**   종아리뼈 가쪽면의 먼쪽 2/3
- 🔵 **부착점**   다섯째발허리뼈의 붓돌기
- 🔵 **신경지배** 얕은종아리신경
- 🔵 **기능**   바닥쪽굽히기
             엎치기
- 🔵 **해설**   짧은종아리근의 힘줄은 다섯째발허리뼈 붓돌기의 박리골절과 종종 관계가 있
             다. 이것은 힘줄과 붓돌기부분이 뼈바닥에서 떨어질 때 발생한다. 이 손상은
             때때로 댄서골절이라고 불리지만, 발목관절과 발에서 과도한 뒤치기가 일어나
             면 그것을 제동하려고 하는 짧은종아리근의 강한 수축에 의하여 골절이 발생한
             다. 또한 이 격심한 뒤치기로 인하여 발생하는 발목관절의 손상으로 몇몇의 가
             쪽곁인대도 파열된다.

Chapter 20
발의 근육

01. 짧은발가락폄근(단지신근)

Extensor digitorum brevis m.

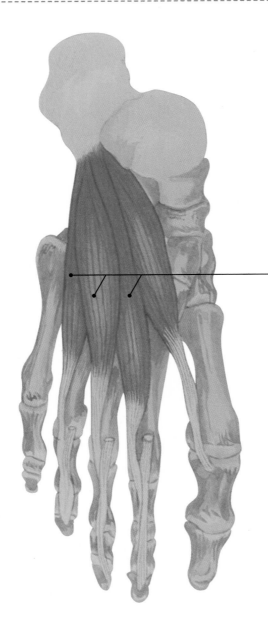

짧은발가락폄근
Extensor digitorum brevis m.

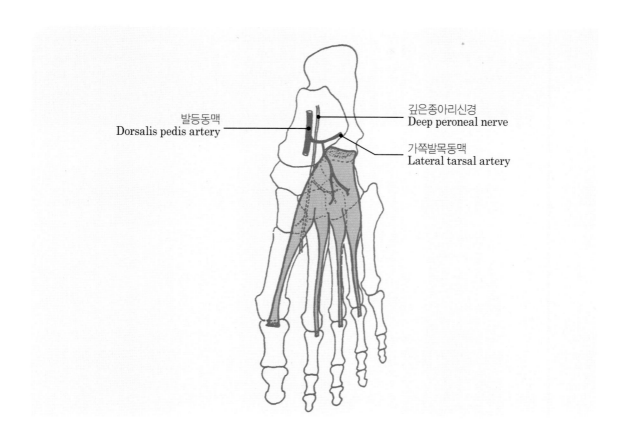

발등동맥
Dorsalis pedis artery

깊은종아리신경
Deep peroneal nerve

가쪽발목동맥
Lateral tarsal artery

● **시작점** 발꿈치뼈 윗면 및 가쪽면의 앞쪽부분, 가쪽목말발꿈치인대, 십자인대

● **부착점** 첫째힘줄 : 엄지발가락 첫마디뼈바닥의 등쪽면

　　　　　 나머지 3개의 힘줄 : 긴발가락폄근힘줄의 가쪽

● **신경지배** 얕은종아리신경(앞정강신경)

● **기능** 안쪽 네 발가락 펴기

02. 엄지발가락벌림근(무지외전근)

Abductor hallucis m.

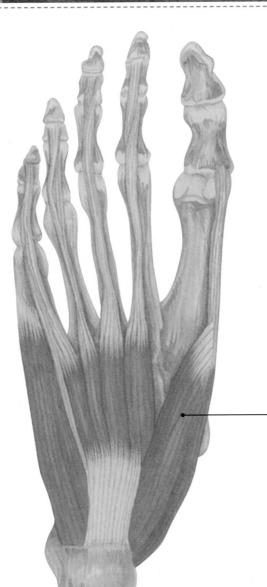

엄지발가락벌림근
Abductor hallucis m.

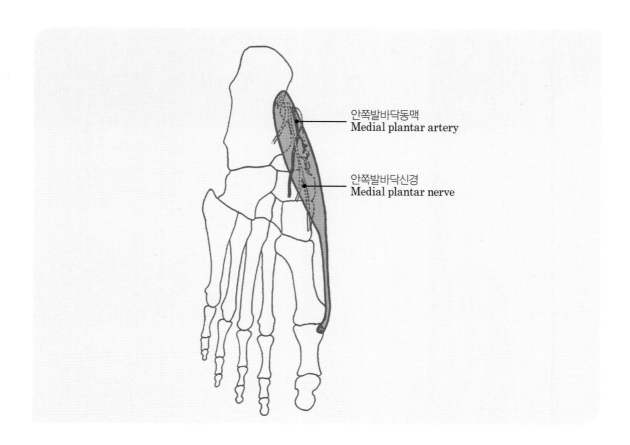

안쪽발바닥동맥
Medial plantar artery

안쪽발바닥신경
Medial plantar nerve

● **시작점**   발꿈치뼈의 안쪽돌기, 발바닥널힘줄, 인접한 근육사이막부분
● **부착점**   엄지발가락 첫마디뼈바닥의 안쪽
● **신경지배**   안쪽발바닥신경
● **기능**   엄지발가락 벌리기

03. 짧은발가락굽힘근(단지굴근)

Flexor digitorum brevis m.

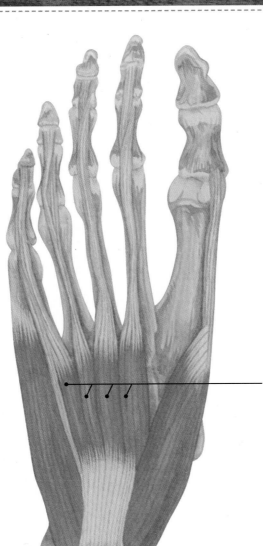

짧은발가락굽힘근
Flexor digitorum brevis m.

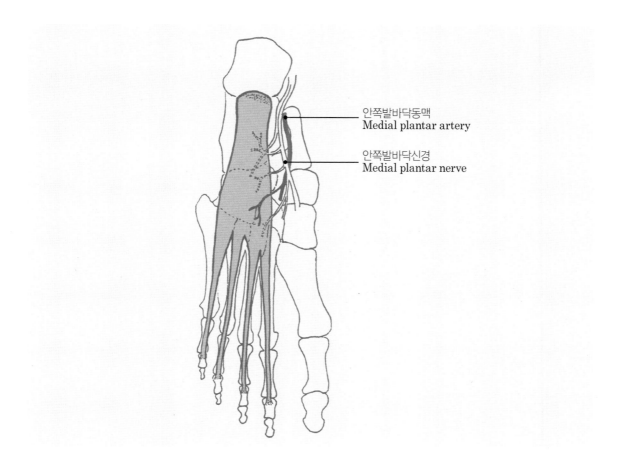

안쪽발바닥동맥
Medial plantar artery

안쪽발바닥신경
Medial plantar nerve

● **시작점** 발꿈치뼈의 안쪽돌기, 발바닥널힘줄, 인접한 근육사이막
● **부착점** 가쪽 네 발가락의 중간마디뼈
● **신경지배** 안쪽발바닥신경
● **기능** 중간발가락마디뼈 굽히기, 그 굽힘동작이 계속되면 가쪽 네 발가락의 첫마디뼈
　　　　　 굽히기가 일어난다.

04. 새끼발가락벌림근(소지외전근)

Abductor digiti minimi m.

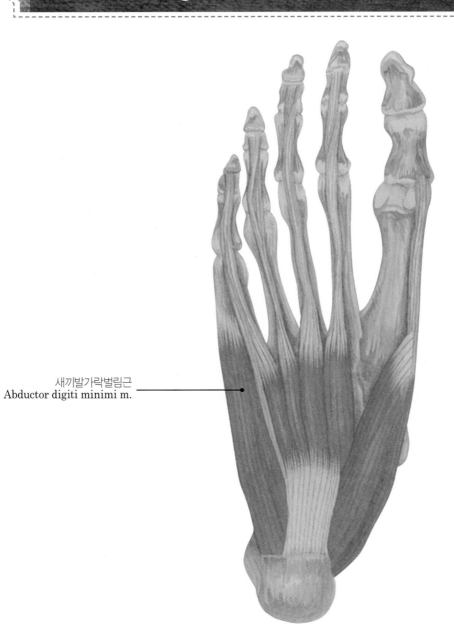

새끼발가락벌림근
Abductor digiti minimi m.

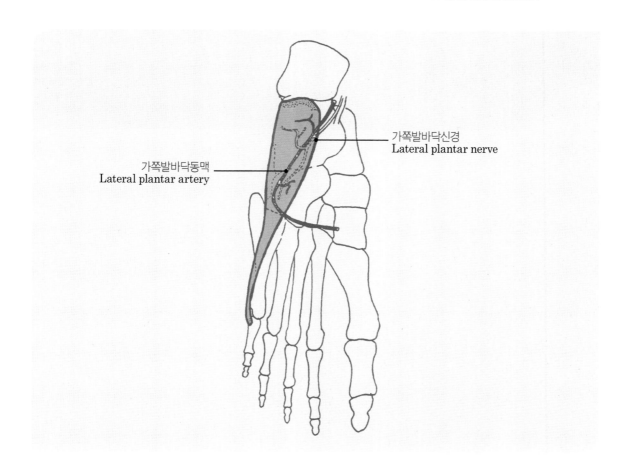

가쪽발바닥신경
Lateral plantar nerve

가쪽발바닥동맥
Lateral plantar artery

- ◗ **시작점** 발꿈치뼈의 가쪽 및 안쪽돌기, 발꿈치뼈근막
- ◗ **부착점** 새끼발가락 첫마디뼈바닥의 가쪽
- ◗ **신경지배** 가쪽발바닥신경
- ◗ **기능** 새끼발가락 벌리기, 새끼발가락 굽히기의 보조

05. 발바닥네모근(족저방형근)
Quadratus plantae m.

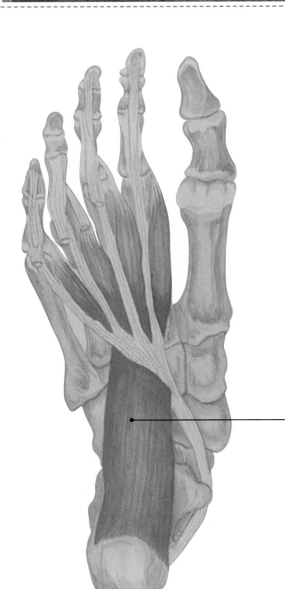

발바닥네모근
Quadratus plantae m.

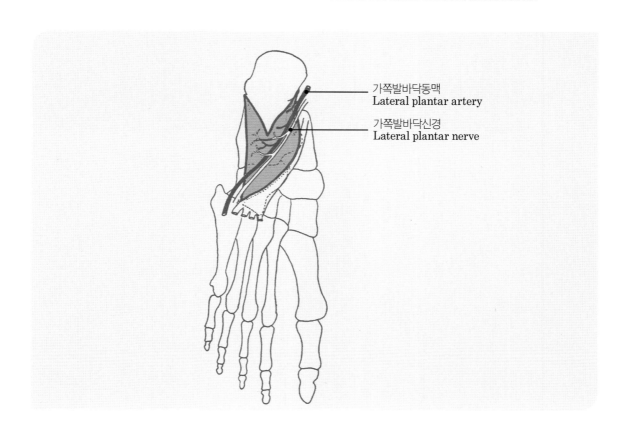

가쪽발바닥동맥
Lateral plantar artery

가쪽발바닥신경
Lateral plantar nerve

● **시작점**   안쪽갈래   발꿈치뼈 안쪽면과 긴발바닥인대의 안쪽모서리

  　　　　　가쪽갈래   발꿈치뼈 바닥면의 가쪽모서리와 긴발바닥인대의 가쪽모서리

● **부착점**   긴발가락굽힘근의 힘줄

● **신경지배** 가쪽발바닥신경

● **기능**   가쪽 4개 발가락의 먼쪽발가락사이관절 굽히기

06. 벌레근(충양근)
Lumbrical m.

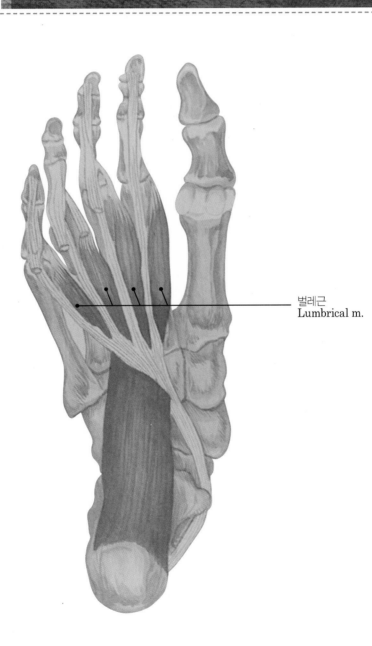

벌레근
Lumbrical m.

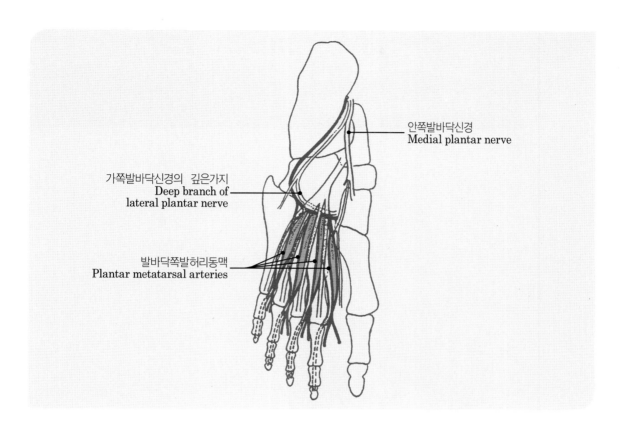

안쪽발바닥신경
Medial plantar nerve

가쪽발바닥신경의 깊은가지
Deep branch of
lateral plantar nerve

발바닥쪽발허리동맥
Plantar metatarsal arteries

● **시작점**　벌레근은 4개로, 모두 긴발가락굽힘근힘줄에서 시작된다. 첫째벌레근은 둘째발
　　　　　가락으로부터 힘줄의 안쪽, 둘째벌레근은 둘째·셋째발가락으로부터 힘줄의 인
　　　　　접부, 셋째벌레근은 셋째·넷째발가락으로부터 힘줄의 인접부, 넷째벌레근은
　　　　　넷째·새끼발가락 힘줄의 인접부

● **부착점**　긴발가락폄근 및 뼈사이근의 힘줄과 더불어 가쪽 네 발가락의 끝마디뼈바닥

● **신경지배**　안쪽발바닥신경, 가쪽발바닥신경의 깊은가지

● **기능**　　발허리발가락관절 굽히기, 발가락사이관절 펴기

07. 짧은엄지발가락굽힘근(단무지굴근)

Flexor hallucis brevis m.

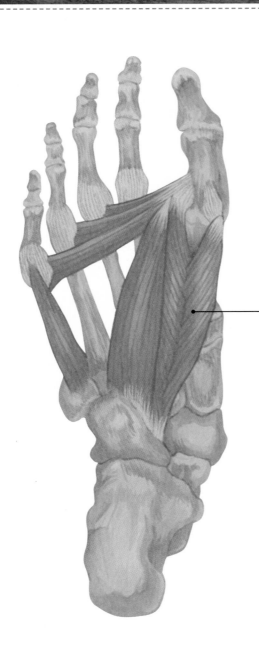

짧은엄지발가락굽힘근
Flexor hallucis brevis m.

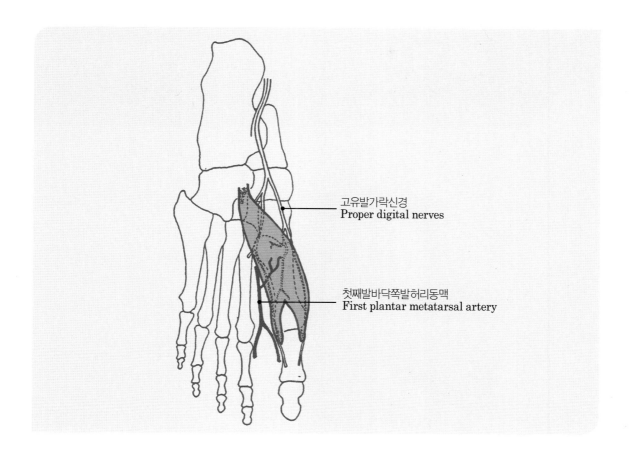

고유발가락신경
Proper digital nerves

첫째발바닥쪽발허리동맥
First plantar metatarsal artery

● **시작점**   입방뼈바닥면의 안쪽부분, 가쪽쐐기뼈의 인접부분, 뒤정강근힘줄의 연장
● **부착점**   엄지발가락 첫마디뼈의 안쪽 및 가쪽
● **신경지배** 안쪽발바닥신경의 엄지발가락 고유발가락신경(첫째발바닥쪽발가락신경)
● **기능**   엄지발가락 굽히기

08. 엄지발가락모음근(무지내전근)
Adductor hallucis m.

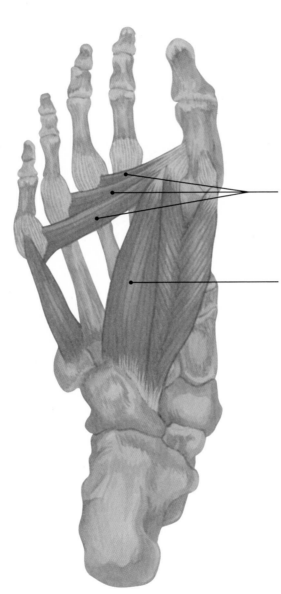

엄지발가락모음근 가로갈래
Adductor hallucis m., Transverse head

엄지발가락모음근 빗갈래
Adductor hallucis m., oblique head

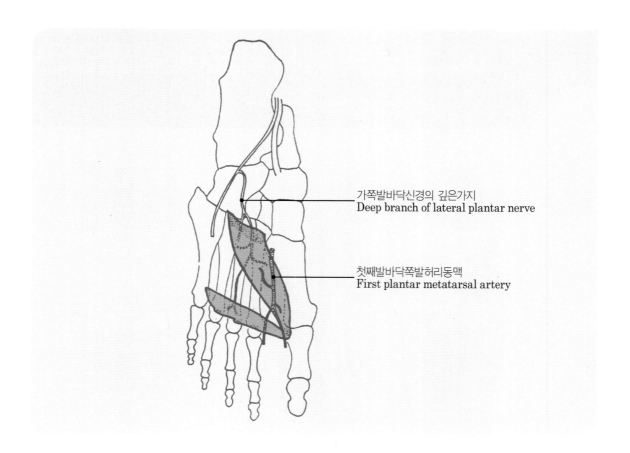

가쪽발바닥신경의 깊은가지
Deep branch of lateral plantar nerve

첫째발바닥쪽발허리동맥
First plantar metatarsal artery

- **시작점**   빗갈래   둘째~넷째발허리뼈의 바닥, 긴종아리근막힘줄집

                가로갈래   둘째~다섯째발허리발가락관절의 관절주머니, 발바닥가로인대

- **부착점**   엄지발가락 첫마디뼈바닥의 가쪽
- **신경지배**   가쪽발바닥신경의 깊은가지
- **기능**   엄지발가락 모으기, 엄지발가락 굽히기 보조

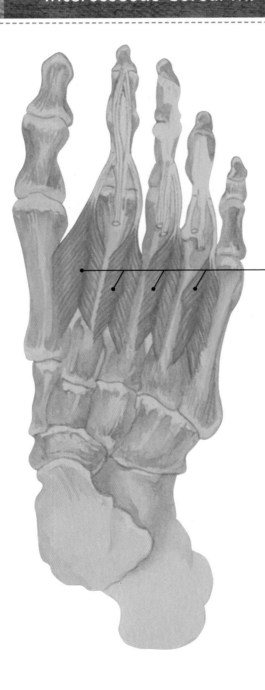

발등쪽뼈사이근
Interosseous dorsal m.

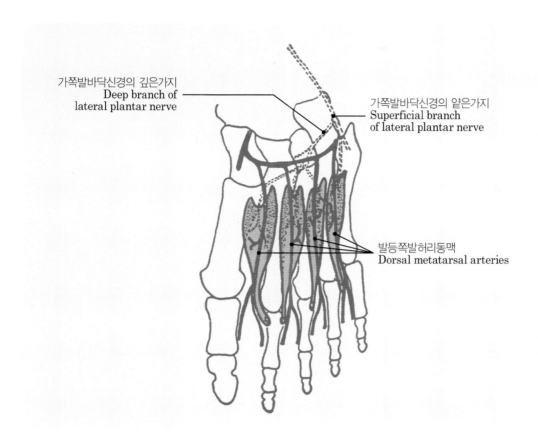

가쪽발바닥신경의 깊은가지
Deep branch of
lateral plantar nerve

가쪽발바닥신경의 얕은가지
Superficial branch
of lateral plantar nerve

발등쪽발허리동맥
Dorsal metatarsal arteries

● **시작점**   발등쪽뼈사이근은 4개가 있는데, 그 각각은 2개의 갈래를 가지고 발허리뼈가
           인접하는 가쪽면에서 시작된다.

● **부착점**   첫째발등쪽뼈사이근   둘째발가락 첫마디뼈의 안쪽부분
           둘째발등쪽뼈사이근   둘째발가락 첫마디뼈의 가쪽부분
           셋째발등쪽뼈사이근   셋째발가락 첫마디뼈의 가쪽부분
           넷째발등쪽뼈사이근   넷째발가락 첫마디뼈의 가쪽부분

● **신경지배** 가쪽발바닥신경의 얕은가지와 깊은가지

● **기능**   둘째발가락을 중심으로 하여 둘째~넷째발가락 벌리기, 첫마디 굽히기와 중
           간·끝마디 펴기와 보조

10. 발바닥쪽뼈사이근(족측골간근)
Plantar interosseous m.

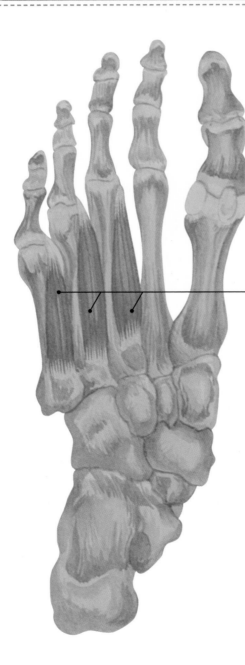

발바닥쪽뼈사이근
Plantar interosseous m.

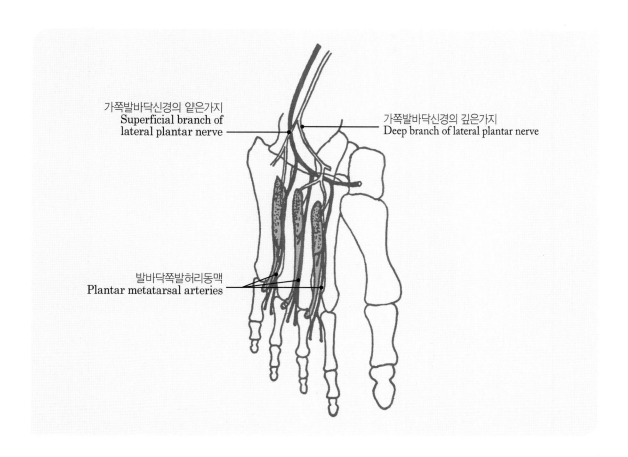

가쪽발바닥신경의 얕은가지
Superficial branch of
lateral plantar nerve

가쪽발바닥신경의 깊은가지
Deep branch of lateral plantar nerve

발바닥쪽발허리동맥
Plantar metatarsal arteries

🔵 **시작점** 발바닥쪽뼈사이근은 3개가 있는데, 그것은 셋째~다섯째발허리뼈의 바닥부분
및 안쪽면에서 시작된다.

🔵 **부착점** 셋째~다섯째발가락의 첫마디뼈 안쪽면과 바닥

🔵 **신경지배** 가쪽발바닥신경의 얕은가지와 깊은가지

🔵 **기능** 둘째발가락을 중심으로 셋째~다섯째발가락 모으기, 첫마디 굽히기와 중간·끝
마디 펴기 보조